ウェッジ文庫

日本人の忘れもの〈1〉

中西　進

ウェッジ

はじめに

いま私たちは二十一世紀を迎えた。大きな歴史の節目である。

その節目に立って、新しい世紀をどう築いていったらよいのだろう。とうぜんそれは、過去を反省することから、見えてくるにちがいない。

二十世紀が作り上げた快適な生活は、すばらしい。掃除も洗濯も機械がやってくれるようになり、あっという間にヨーロッパまで飛んでいける。医療も発達し生活環境もととのえられて、人間は八十歳をこえて生きられるようになった。

しかし、私たちは、今まであまりにも物質的なものばかりを重視してきた。それにつれて、欠点も目立ってきた。病院の医療ミスがあちこちで起こっている。

これも必要な注意を十分しないことが原因である。人間の命を守るためには、よほど心を使わなければならないのに、ついぞんざいに患者を扱ったからだ。

また、少年犯罪がつぎつぎと発生して、毎日の新聞をにぎわしている。その動機は何か。「人間を壊したかったからだ」という記事を見て、私はほんとうにびっくりした。

だいたい物は壊すが、人間を壊すなどという日本語はない。人間とモノとの区別もつかない者に、どうして人間の尊さがわかるだろう。少年は適切な教育がほどこされない前に年ばかりとり、もう子どもともいえない年まで、幼稚なままでいる。その上に、人間無用のロボット社会にいれば、動いているものは、もう人間だかロボットだか、区別がつかない。

彼のせりふは「人間というロボットを壊したかったからだ」という、痛烈な皮肉かもしれない。

さてそうなると、人間を尊重する心豊かな社会をこそ、私たちはこれから作っていかなければならない、ということになるだろう。

ところが、じつは二十世紀以前は、人間はけして心を忘れてはいなかった。二十世紀の輝かしい科学文明の発達が、心をついつい見失わせてしまったのである。

とくに日本では、欧米にくらべると、より多く心の豊かさを保ってきた。いや、そのために、日本は文明が遅れていると悪口をいわれてきた。いまだにトイレは水洗でない地域が日本にはある。水道の蛇口からお湯が出ない家もある。

こうした生活の不便さ、不衛生さは早急に改善される必要があるが、一方で、なお持ちつづけてきた心の豊かさは、今後どんどん世界に持ち出していこうではないか。

二十一世紀は心の時代だと考えることは、二十一世紀こそ、世界中に日本をどんどん知ってもらう時代だと考えることになる。

もちろん、日本人自身ですらうろ覚えになっているもの、最近はほとんど忘れてしまっているものも多い。

そこで二十一世紀を迎えて私たちが心がけるべきことを、ここでもういっぺん、おたがいに確認しておきたい。

日本人の忘れもの〈1〉

目 次

第1章

心

まける

相手に生かされる道をさぐる

日本の悪口を言うのがインテリの証？

今まで日本はおかしかった。とにかく日本の悪口を言っていればインテリなのである。反対に日本に味方するとすぐ国粋主義者のレッテルをはられ、極端になると特別な組織の人間にさえみなされてしまった。

だから私など、むかしから日本の良さや美しさをはやし立ててきた人間は、ダサい頑固者扱いだったにちがいない。

ところが近ごろ、風向きがすこし変わってきた。日本はそんなに悪い国じゃない。日本の良さを見直そうという声が聞こえはじめた。

ただ、それじゃどんなところがいいのかというと、まだまだ名案が登場しない。

なにしろ何かをもちだしても、現代人にとってはあいまいなことばかり言うことになる。やっぱりいまの世の中には合わないよ、という声も聞こえてきそうである。

しかし、何といわれようと、もう一度日本の良さを思い出して、元気を取り戻したい。

そこでまず人間とのつき合い方を考えてみよう。

人間同士のつき合いのなかで、最もシビアなのは金銭関係だろう。貸し借りの関係、ものの売買、そんななかにさまざまな悲喜劇が起こり、哀切な人間模様もできる。江戸時代、十七世紀大坂の作家・井原西鶴は、そんな商人のようすを生き生きと描いてみせた。

ところで商人はいまでも「まけときます」という。ディスカウントしますという意味だ。ところが「まける」というのは、勝ち敗けの「まける」と同じ意味だから、彼は「あなたとの勝負にまけておきます」というわけだ。

このせりふを、日本語をよく知らない外国人が聞いたら、どう思うだろう。値引きのことを敗北というのは、ピンとくるだろうか。

英語で敗けるといえば「lost《ロスト》」とか「defeat《ディフィート》」とかいうことになろうが、さてロストが同時に値引きするという意味をもっているか。そうではないだろう。

それどころか勝つためには攻めて攻めて、ついに勝利を手中にするまで戦うのがヨーロッパふうな近代人の割り切り方だ。いささかも引いてはいけない。

もちろん欧米人にだって駆け引きはある。しかし、もうけを目的とする勝負に「敗けておきます」という理屈はどうも異質である。

敗ける伝統をもつ日本人は、近代ヨーロッパふうに頑張って外国人相手の取引をしてみても、ついつい及び腰になって徹底攻撃ができないから、ほんとうに敗けてしまう。お人好しの日本人と陰口をたたかれて、じだんだを踏んでくやしがることになる。

日本人だって取引に勝ちたいのである。しかし敗ける。

いったい、これはなぜだ。間尺に合っているのか。

まけるが勝ち

ここでちょっとむずかしいことをいうが、柳の枝がしなったり、運動選手の体がしなやかだったりする。この「しなう」という日本語の「しな」は死ぬときの「しぬ」と仲間である。つまり折り曲げられるといっぺん折れそうになりながら、ぴんと元へ戻る、あの「しなう」運動は、死ぬことによって弾力をたくわえながら、いっそう強く生きることなのである。

「しなう」という日本語は「しのぶ」という日本語とも仲間だ。「堪えしのぶ」というと、じっと我慢することになる。我慢などまっ平というのが現代人だろうが、辛棒映画の主人公・おしんではないが、むかしは美徳だった。そこで大竹しのぶさんなどと人名にも登場する。世の中、悪徳を人名にすることはないのだから。

どうして堪えしのぶことが美徳なのか。「しなう」ことがいっぺん死ぬことで弾力をたくわえ、いっそう力が強くなったように、堪えしのぶことで力は内部に凝縮する。たくわえられたエネルギーは、ついに大きな力となって爆発するだろう。

力をたくわえるといえば、その最たる日本の象徴はお能である。お能は見ていても、よくわからない退屈な仕ぐさが延々とつづくから、眠っている人も多い。それこそ外国人にわかりにくいのは、あの動作がきわめて日本的だからだ。

何しろお能は徹底的に動作を省略する。抑える。手を目の前にもっていけばそれで泣いたことになる。舞台をひとまわりすれば京都と東京の間を歩いたことになるのだから、七〇〇系の新幹線だって顔まけである。

いったい、なぜあれほど動作を節約するのか。いや、ケチをしているわけではない。すべてを抑えおさえて振る舞うから、力が役者の体の内へ内へと入り込む。名人を見ていると、体全体が力のかたまりになっている。

お能の美しさは、この抑制にある。私はその美学に、よくうっとりする。動作を抑制して力をたくわえるお能。それはしなやかに死んでは弾みをつける運動選手の体、堪えしのぶことで大きな力をたくわえる生き方と、すべて考え方が一致している。それがじつは、勝つためにいったん敗けるということらしい。その勝負には敗けても、大きな勝負には勝つ。その手段が「まけときます」というせりふになるのである。

ところがいまや日本人も、小学生のころから「敗けるな」と教育されている。国語の時間はディベート（討論）の練習をさせられる。「思ったことははっきり言いなさい！」と叱られる。

一方で思い出してみると、反対のことわざはいっぱいある。「口はわざわいの門」「言わぬが花」「以心伝心」「物言えばくちびる寒し秋の風」――。

こうしたことわざのなかで教育されてきた日本人の美質は、それこそ力の蓄積にあったのに、いまはもう表現しないのは悪徳で、自己抑制など不健康きわまりない。

一時「男は黙ってサッポロビール」というコマーシャルが流行した。ウケた理由はノスタルジーにあったとしか考えられない。

たしかにそうだ。考えてみるといい。何でもかんでもしゃべりたいことをしゃべり、したいことをする。どこに人格の美しさがあるか。

いやいや、人格なんて持ち出さなくてもいい。一〇〇パーセントしゃべったあとで反撃されたら、もう力のたくわえはないのだから、こなごなにうち砕かれてしまう。しなやかにはね返すべき力の貯金はないから敗退するしかない。

取引の勝負だって、力のかぎりをつくしてもうけることはできる。しかし一時の勝負には勝ったにしても、すぐ次に対応できる力がないから、次はもろくも大敗してしまう。

それよりいったん敗けておいて力をたくわえ、大勝負に勝つことをもくろむ方がよい。敗けるが勝ちとは、よくいったものだ。

敗けるが勝ちといえば、私は兎と亀の話を思い出す。二つを競走させると、必ず兎が勝つ。そう決まっている。ところがすべてを終えてみたら、亀が勝っているではないか。局地戦（Battle）の勝利は戦争（War）の勝利と一致しない。

もっともこの寓話はイソップという古代ギリシャ人のつくったものだから、日本ふうな知恵だとはいえない。むかしは地球上、西も東もかしこかったのである。

ところが近ごろはこの寓話を「油断大敵」の教訓にとる。それこそ頑張り精神での解釈である。イソップがいいたかったのは「敗けることを気にしないで、自然に生きていきなさい。そうすると結果は必ず勝つのです」ということだった。

この教訓を、さいきんの日本人は忘れている。日本亀は欧米兎のすばしこさに目がくらんで、跳べもしないのに、跳ぼうとしている。

日本亀よ、ゆっくり歩きなさい。

生かされて生きる

ところでこの日本亀は「柔らか構造」の人種である。だから徹底的に自己主張したり、押しつけがましいことをするのが苦手で、国際社会でも適当に妥協してしまい、いつも損をする。

とくに外交を見ているとそれが目につくから、日本人はやきもきしながらニュースを見ていて、いつもため息をつく。お金をばらまいてはニコニコと独りよがりに満足している外相。不況にあえいでいながら高い税金をとられ「おいおい、それみんな税金じゃないか」と怒っている国民。

たしかに食うか食われるかの歴史を生きてきた諸外国に、君子国の外相はほんろうされているのだが、さてそれは日本本来の「柔らか構造」の姿ではない。

日本人が古くから培ってきた人間関係のあり方は、相手に生かされる道をさぐることだった。さっき私は適当に妥協するといったが、正しくは状況を判断して自己主張を切りかえるということだ。そのタイミングは、流れをうまくつかみ相手の勢いをかりる点にある。

それでは、どのようにタイミングをつかむのか。どうもこの自己変身を、日本人は理づめで考えないらしい。きわめて感覚的で、こまかい計算を意識しない。むしろそこがコツなのである。

一昔まえ、ドリス・デイが歌った「ケ・セラ・セラ」という歌がはやった。「なるようになる。先のことなどわからない」という歌詞は軽快なフットワークの人生で、いとも楽しいが、さて「なるようになる」は日本ふうには別のニュアンスがある。

「なる」というのは、自然にそうなるだけではなく、もっと濃密で必然的な実《みの》りも意味する。だから「なるようになる」といえば、まことに正しい実りに向かう、事のなりゆきを示す。

このなりゆきに身をまかせることが、本来の日本人の生き方だった。

昨今ではコンピュータがみごとなまでに事態を分析してくれる。だから「なりゆき」も数字で予想されるし、いつ、どのように身をまかせるかも、きちんと指示をあたえてくれるだろう。

もちろんコンピュータを参考にするのはよい。しかし人間の感覚をバカにしてはいけない。

話はとぶようだが、介護者が老人を毎日毎日やさしく撫でていると、具体的に肉体が回復するという話を聞いたことがある。別に口をきく訓練をしたとか、痴ほうを治す薬をあたえたとかいうのではないのに、撫でるだけでこうした効果があった。

これを医学的に説明することも可能だろう。撫でることには物理的効果があるとか、介護者の心が具体的に伝わるとかと。しかし理屈をこえた皮膚感覚、人間的対応がいかに大切かも思い知るべきだろう。

人間が人間関係のなかで生かされて生きることは、きわめて感覚的で無意識な態度のようでありながら、じつは適切な判断をしているのだと思う。

そのことは仏教でいう「他力」を思い浮かべればわかりやすい。

他力とはそもそも阿弥陀さまにお願いして頂戴した力だった。それがやがて「他力本願」といってやたらな他人だのみをすることになったから誤解されるが、本来にもどると他人を阿弥陀さまのように尊敬し、信頼し、自分の努力をつくしたうえで、さて他人さまの力をたよるのだから、「生かされて生きる」というばあいも、同じように、人間関係に自分の力をつくさなければならない。

そのうえで、関係の自然な流れのなかに生きていくことができるのである。最初から何もしないで、なげやりに生きていては、他人から生かされはしない。本当の「なるようになる」生き方は、他人に人間としての信頼を寄せたうえで、柔らか頭で生きていくことである。

現代人はもっと大きな人間信頼のうえで生きる方がよい。悪人すら巻き込んでしまうような人間信頼の覚悟のうえで。じつは柔らか構造というのも、自分への信頼がなければ生まれてこないのだから。

自分を信頼していれば、こまかな勝負にこだわらなくなる。自信をもって生かされて生きればよいのである。

おやこ　家族問題を招く子ども大人の氾濫

電話相談のトップは夫婦問題

ある女性センターのイヤーズレポートによると、一九九八年度、センターに悩みを訴えてきた女性のいちばん多い話題は親子関係だという。そしてまた、女性の電話相談は、夫婦問題がトップだとある。

いずれもダントツである。

しかも夫婦問題には夫の暴力がしばしばあげられるらしい。だからこのセンターでは夫の暴力についての講座も開かれている。

いわれてみればそうだろうと思うが、しかしこう具体的にパーセントを示されると、問題の深刻さが伝わってくる。面談では親子、電話では夫婦というのもグサリと胸に刺さってくる話で、夫婦問題は自分を隠してしか相談できない。それでいて相談せずにはいられないほど、重大な問題なのである。

小学生を残忍な方法で殺した中学生「少年A」の事件は他人ごとではない。また昨今ベストセラーの不倫小説も、おもしろがって読んでいるだけではすまされない。少なくとも現代日本の最大の悩みは家族関係だというほど、現代日本の家庭はむしばまれている。少年問題やベストセラー小説の課題も、そこから考えなければならないのである。

どうしてこんなに家族に問題がおこっているのか。

まずは少年だが、そもそも「少年って何」ときかれて返事ができる人は、少ないのではないだろうか。なぜか。わたしは反対の「大人」だって返事できないことと、一対のことだと思う。要するにいまや「少年」と「大人」の区別がつかないのである。

むかしはそうではなかった。ひとつの節目をもって、少年は大人となった。親から守られる存在としての少年は、ひとつの条件をクリアすることで社会の成員となり、社会的な責任と権利があたえられた。それがすなわち大人である。

このひとつの条件は「若衆宿《わかしゅうやど》」とよばれる、若者たちが集まって先輩から心身の訓練をうける場所で、身につけることができた。

いやこれは日本だけではない。世界各地にあった。つい先ごろも、台湾でネイティブの人たちがそれぞれに「少年会所」という建物をもっていたのを見てきた。彼らはかなり長い年月、ここで社会人としての心得を学んだという。国を愛する精神も、ここでの重要目標だった。

ところがこんな封建的な制度は、明治以後、文明開化とともになくなり、個人はのびのびと大人になった。

しかし戦前までは兵役の義務があったから、よくも悪くも若衆宿めいた心身の鍛練が要求された。親の庇護など、ひとたまりもなく、ふっ飛んでしまった。

そして現在。少年はずるずると大人になる。しかし年をとるばかりで、いっこうに大人になるための訓練をしてもらえない。子ども大人が、戦後五十年の間に誕生した。終戦のとき十歳だった少年は、もう還暦をすぎた子ども大人である。

こうなると少年を訓練する大人がいなくなる。しかたがないから年齢だけで少年と大人を区別しようという、でたらめな結果となり、その区切りが十七歳か十八歳と論議されるとは、まったく情けないではないか。六十歳の少年もいれば、十五歳の大人もいるのに。

ちなみに「おとな」という日本語は「おとなしい」の元のことばだ。要するに洋の東西をとわず、ジェントルなのが社会人だった。物事をしっかり認識し、感情に走らず、内に秘めた知性や理性によって確実に行動できる人間。社会から求められるものに、きちんと応対できる人間が洋の東西をこえて大人である。英語で責任をリスポンシビリティーという。社会にリスポンス（答える）できるアビリティー（能力）をもって、はじめて責任ある大人なのである。

節目もなく年を加えた子ども大人に、こうしたものを期待するのは、する方がおかしい。そしてこの子ども大人は、子どもに対して、どうしていいかわからなくても、とうぜんのことだろう。ともに子どもなのだから。

親子関係の悩みは、まずは大人とは何かを自分に問い、そのうえで子どもに対するしか方法がない。成長の過程に節目をあたえる制度をなくしたことは、大きな間違いであった。

父親は背中を見せよ

先年、親友の半藤一利氏と対談をした。その結論は、近ごろ男がダメになった、ということだった。

とくにわたしは、父親がダメになったと思う。なぜか。父親とは何かが日本人みんながわからなくなり、けっきょく父親の役割を放棄してしまったからだ。へたにイバれば、封建的だと叩かれると思った結果である。

しかしむかしは、父親はりっぱだった。それを支えていたのは、儒教でいう「義」だった。父親は子に義をつくせと、孔子はいう。

義とは、ものの道理のことだ。父は子に道理を教える必要がある。一方の母は子に慈をつくせと孔子はいった。母親は子をかわいがればよいのである。ところが最近の父親は粗大ゴミなどといわれるのをおそれて、子に耳ざわりでないことしかいわない。猫かわいがりばかりするから母親との役割分担ができず、子どもの方は野放図にかわいがられて大きくなる。

それでは困る。父親は憎まれても道理を教えなければならない。そもそも「義」という文字は「羊」と「我」からできている。羊は中国で最高の価値あるもので、義のある人間はもっとも価値ある「我」である。「義」に「言」をつけたものが「議」だから、会議とは会合してことばによって美しい自分をつくることだ（集まる人がみんなそう思っていてほしい！）。

父は子に義を教えよとは、儒教は何とりっぱな人間ネットを語るではないか。いや儒教に限ることではない。母の慈といえばキリストを抱いたマリア像がすぐ連想されるが、じつは同じように子を右手に抱き、左手で子の頭をささえる土偶《どぐう》（土の人形）が東京の八王子から発掘されている。いまから四六〇〇～三八〇〇年前（縄文中期という）のものだ。

母は人間として自然に慈をあたえることになる、ということだろう。しかし父親は、自然ではいけない。あえて理知をもって道理を教える。子どもの甘えを時にはきびしく拒否する必要がある。

この父と母の関係を、胸と背中にいいかえることができる。母は子を胸に抱きかかえよ。反対に、父は子に背中を向けよ。

父親が背を向けたために子どもが離れていってしまっては、父親失格である。自分にあえて背を向けた父親のどっしりと広がった背を見て、子が全幅の信頼感をもち、先に歩いていく父親の背を見ながら後をついていく、そのような父親こそりっぱな父親である。

わたしなども子どものころ、いくつかの失敗をした。そのなかでひとつだけ、いまでもおそろしく思い出す経験がある。

大変な失敗だった。夜になってから父の書斎によばれた。うす暗い電灯の下で、父は着物の袖に両手を入れ、しばらく黙っていた。そしてやおら失敗の意味をさとした。

母は何も叱らず、父に義をとくことを求めたのだと思う。いま思い出しても身の気もよだつような経験は、効果満点だったと、ちょっとくやしい気もするが。

こんなこともあった。

学校でいやなことがあって、ついにわたしは、いまいう登校拒否をしたことがある。その少し前、帰ってきたわたしを、母親は上りがまちに座らせ、バケツで足を洗ってくれた。よほど冴えない顔をしていたのだろう。母はぽつんと「お母さんはお前の味方だからね」とだけ言った。

この母親の慈も、情景をいま絵にかけるほどよくおぼえている。

わたしの両親が満点の親だったといおうとするのではない。義と慈の一例として思い出をあげただけだが、こうした両親の役割分担は、戦前までは比較的よく保たれていたと思う。戦後の民主主義が儒教なんて古いときめてかかり、いっきょに親の立脚点をさらってしまった結果、父にしろ母にしろ、親子関係がうまくいかなくなった。

母の慈だって、やさしいようでそれほどやさしくはない。自分が優位に立っていなければ愛せないのだから。姉妹のような母子など、ほんとうの慈があるのだろうか。

母親は、近ごろの子どもは親孝行をしなくなった、とグチをこぼす。子の親への倫理を孔子は孝ときめた。その、子への孝の要求ばかり強くて、母の慈、父の義は知らないというのは、もっと情けない。情けないが、現実はそうだ。「お父さんは子どもに何を教えるのですか」と、まわりの人に聞いてみるといい。ほとんどの人が答えられないだろう。

親子関係も夫婦間の問題も、こうした役割の自覚、人間関係の結び方によって解決されるはずだ。

子はいつまでも子どもである

ひとむかし前、エーリッヒ・フロムというアメリカ人の『愛するということ』という本が子育てのバイブルのようにいわれた。

彼はいう。母は子を育て一人前の大人にする。それはわが身から子をつき放すことだから、通常の愛、つまりわが身にひき寄せる愛とは逆で、この苦しみにたえる点で、母性愛は最高の愛だ、と。

これは衝撃的な発言だった。なぜならいままでも日本の母親はよく「あの子もむかしはいうことをよく聞いたのに、近ごろは聞かなくなった」と嘆く。いつまでも自分の掌のなかにおいておきたいと思うのに対して、つき放すことが愛だとフロムがいったのだから。

目がさめた母親も多かったろう。しかしこの教えはキリスト教の隣人愛と通底する。大人になった子どもと母親は神の前で平等なのである。

はたしてそうだろうか。子は大人になると隣人になるのか。核家族の形が進むとそう思う向きもふえるだろうが、しかし子はいつまでも子、親はいつまでも親である。それが自然だろう。

人間ネットはいつまでも続く。

もちろん子の自立心は認める必要があるし、自立力をやしなう育て方も要求されるだろう。また、いつまでも親子だといったからとて、幾世代もが大家族としていっしょに生活せよ、などと主張するつもりはない。

生活形態はさまざまでよい。生活上の工夫は、一工夫も二工夫もするべきである。

しかし、子も一人前になれば親子ではないなどという虚妄の理知は棄てて、自然な感情のままに、親と子、夫と妻という関係を自覚するのがよい。儒教の本質がおどろくほどにネット学であることは、人間関係がむずかしくなった昨今ではとくに大切で、それぞれの関係が上手に結べれば、家族の悩みはおこらない。

男女の立場も古代日本ではみごとに平等だった。たとえば、朝廷につかえる男女の任官は、かならず男女平等に行われた。

奈良時代には、宮中のパーティーに夫人同伴で出席せよ、と天皇の命令が出た。同伴は鹿鳴館から始まったのではないのである。

とにかく、古い日本語では夫も妻も「つま」とよんだのだから。「つま」とは相手という意味だから、上下関係、前後関係はない。要するに今はやりのパートナー（正式に結婚しない相手）と、ことばの意味がひとしい。

そんな夫婦関係に夫の暴力も、家庭の桎梏《しっこく》もありえない。

要は夫婦親子それぞれが立場を自覚すること、さらに立場を異にしながら人間的信頼によって結ばれることが、家族という集団を成り立たせるということだろう。

そのうえでどんな家族形態をとろうと、それは大した問題ではない。

はなやぐ

恋愛は心の匂いだった

ひとりも処女がいない

古い話で恐縮だが、昭和の初めごろ、ベストセラーに厨川白村《くりやがわはくそん》の名著『近代の恋愛観』があった。子どもだった私は父の書棚からこっそり持ち出し、胸をどきどきさせながら読んだ。

といって特段はげしい事が書いてあるわけでもないが、ヨーロッパの若い男女がいかに情熱に身をこがすかを語り、一方日本では「男女七歳にして席を同じうせず」といいながら、一村をあげてひとりの処女もいないのが現状だという。

建前では性を尊重しながら、じつは性に無秩序なのが日本である。一方、欧米では恋愛を隠さず表現して、きちんと性を尊重するということの主張は、とかく恋愛をはしたないものと心得ながら、むしろそのために、性が陰湿なものとなりがちだった日本人には、目がさめるような指摘だっただろう。そうだそうだと、相づちをうった人も多かった。

新鮮な恋愛のバイブルとして、たくさんの人に読まれたのも、よくわかる。

しかしここにも、いくつか疑問がある。

そもそもここでいう恋愛とは何か。きめつけるようだが、恋愛といわれて実体がすぐイメージできる人は少ないのではないか。

「恋愛」ということばは、明治になって西欧語の翻訳としてつくられた。だからことばとしての肉体をもっていない。かりに「私はあなたに恋愛してます」と告白する男性はまったくいないだろう。

私の友人の中には「あなたを愛してます」だって、何かキザで言えない、という者さえいるほどだ。せいぜい「好きです」ぐらいだろうか。そう口にするとやっとわざとらしくなくなる。つまり「好き」ぐらいではじめてことばが肉体をもつであろう。

第一に厨川白村が率直に愛し合うといったって、その中身はぴんとこない。何をもって賛美されるべき性愛と考えているかが、はっきりしない。

第二に、白村は、日本では村にひとりも処女がいないというが、どうして処女が必要なのか。処女はなぜ、何の文句もなく賛美されるのが、これまたはっきりしない。

歴史的にいうと処女を重要視するのは、神様の要求にこたえて女を捧げることから始まった。それが儀式化すると聖職者が初夜権をもつようになった。

そのなごりが現代のミスコンテストである。今や万事お祭りだからいいが、事の起こりは何とも恐ろしい。古代日本でも神様につかえる女は不犯《ふぼん》をまもり、男たちがそれをからかう歌がある。

だから神様に身をさし出さないかぎり、女性は処女である必要はない。

しかし一方、社会秩序を整えるために、性愛と結婚を一つのものとする考えが登場した。この管理の一つとして、一夫一婦制を考えた。そのことによって性が管理され、反社会的な混乱が防げるようになった。

結婚までは処女でいなければならない。結婚すれば一夫に対する性が純潔で、いわば一夫一婦の「処女性」が守られなければならない――そういう交通整理である。

ただこれは制度であって、自然な性愛とは別物である。だから今でも一夫一婦制でない地域があるのは、社会管理の手段であることをはっきり物語っている。

そうなると、処女の尊重は、それこそ建前として良風美俗に従うことにすぎず、人間の自然な性愛とはまったく別物となる。

白村は一方で率直な恋愛表現を賛美しながら、一方で建前を尊重する矛盾を冒したのである。

日本人は色恋をした

それではいったい、明治以前の日本人は、男女の愛をどう考えていたのだろう。恋愛を昔は「色恋《いろこい》」といった。色好みないしは好色といえば今日ではいかがわしい感じさえつきまとい、好色漢などといわれれば怒るしかない。「あいつは好色者《すきもの》だ」といわれても同じである。

しかしそう一概にしりぞけてしまわないで考えてみると、なかなか味わいがある。そもそも「いろ」ということばが親愛の気持ちを示すことを、現代人はほとんど忘れているが、古くは母親が同じ兄弟・姉妹を「いろ――」といった。「いろね」(兄・姉)「いろと」(弟・妹)と。「いろせ」はやはり母親が同じ男性である。この「いろ」とは「親愛なる」といった意味だ。

一方、女性に「いらつめ」という敬称があった。「いろの女」という意味で、もっぱら貴夫人に用いられたのは、「いろ」に尊敬の心がこめられていたからである。男性に対しては「いらつこ」という。

この時代、親愛、敬愛、尊敬は一つづきの心理だった。

ところが一方、「いろ」が色彩をあらわすことは、今も昔も変わりがない。親愛と色彩とが同じことばで表現されるとは、現代人にとってはむずかしい。

しかし他人への親しみ、尊敬の気持ちを心の華やぎと考えたのだといえば、わかってもらえるだろう。他人を憎からず思う気持ち、さらになおのこといとしく思うと、心は思わず華やぐだろう。皆さん今すぐ、胸に手を当てて愛する人を思い出してみてほしい。

反対に憎らしいヤツに対して心が華やぐことなど絶対ない。逆に重く暗く沈んで、気は滅入るばかりだ。

いや、心だけではない。体も実際に熱くなるだろう。物の温度を色であらわすサーモグラフィーという方法がある。あれをしてみると恋する人の体温は、まっ赤になるはずだ。反対に失恋中の人はブルー。

愛する姉、かわいい弟、そして敬愛する女性。これらがみんな「いろ」をもってよばれるのだから、「いろ」が恋愛に使われても不自然ではないだろう。

要するに色恋とはそもそも心身の彩りをいうことばだった。ちなみに、亡くなった台湾出身の歌手、テレサ・テンが歌った「時の流れに身をまかせ」という歌詞がおもしろい（作詞・荒木とよひさ氏）。

時の流れに　身をまかせ
あなたの色に　染められ

というリフレーンが中心を占める。「いまは　あなたしか　愛せない」、そのあなたの色に染められていたいと言うのである。

「わたし」も「あなた」が好きで心の色をかがやかせている。「あなた」も「わたし」が好きで心の色をもっている。そんな二人の恋の心が一致すると、二人は一つの色に染められることになる。

こう考えてみると、日本人の恋愛が具体的にわかる。「いろ」とは、男女が好きになると思わず発揮してしまう心の彩りのことだとなると、現代人の実感としても理解できる。「ああ、あなたきれいになったわね、さては好きな人ができたのね」といって若い女性たちははしゃぐではないか。

まさに「色恋」ということばは、生理的ですらある。

お正月にとる百人一首にも「忍ぶれど　色に出《い》でにけり　わが恋は　物や思ふと人の問ふまで」という歌がある。ただ単に「恋愛を隠していたけれども、見つかってしまった」という、生やさしいものではない。「色に出でにけり」つまり心の華やぎを、肉体は隠すことができないという歌である。

十七世紀の大作家に井原西鶴という人物がいて「好色一代男」とか「好色五人女」とかという小説を書いた。この「好色」も恋愛にともなう心の華やぎ、色艶を描こうとしたもので、恋に浮名を流した好色者の物語と考えるのは正確でない。「恋物語・男の一生」「五人の女・恋のオムニバス」といった理解をしてほしい。

これほどに恋愛を心身の華やぎと考えたとなると、日本人にとって、まず何よりも大切だったのは、性愛によって誘発される心理、身のこなし、いや人間全体の美しさだったことがわかる。

魚にも生殖色がある。動物だってメスの前で魅力的に振る舞うオスの美しさがある。恋愛を色でとらえることは、それほどに確かな判断だった。

逆にいうと、もっとわかりやすいだろうか。いくら恋人がいても、少しも美しくない同僚があなたのそばにいたら、彼（彼女）はけっして恋人を愛していないのである。心がともなわない男女関係は、ずるずると惰性に引きずられているだけだ。

こわい。

お見合いのすすめ

恋愛などというより色恋といい、愛するというより好きだという方が、よほどことばの肉体を感じることができる。日本人はそんなふうに恋愛の心情を大切にしたが、一方、結婚という段取りも、心情にもとづいて考えた。

話題がその人の結婚話になるとよく、「いやー、見合い結婚なんですよ」とすまなさそうに言う人がいる。反対に「大恋愛で結ばれました」という男は、いかにも誇らしそうだ。

しかしそれは浅はかである。私は見合いを重大な結婚の段取りだと思う。

そもそも「見る」ということばは、ほめることを意味する（そうだろう。軽蔑するヤツは見たくもない）。だからまずお見合いをするのは、相手が十分尊敬に値するかどうかを確かめることであった。お見合いをしてお互いりっぱだと確認した上で初めて結婚するのが日本古来の風習であった。

お互いの共同生活の第一歩は相互の尊敬だという、まるでアメリカから教えてもらったような認識が、日本では神話の昔からすでに登場する。

しかも「見合う」ということばには、お互いに相応だという意味がある。「努力に見合う報酬がほしい」、「着物に見合う帯でなければねぇ」といったぐあいだ。とりわけまったく対等でなければ男女の愛は育つまい。これまた平等主義はアメリカの専売特許ではない。

この相応を、後には家の相応と考えがちになるが、まず何よりも、基本の生身のひとりの男であり女である、その価値の相応が問題だろう。

その上で育った環境を問題にしたってかまわない。武士が戦場で名乗りをあげて「敵よ出てこい」ということがある。これも家柄を述べ、わが身を告げて、これに「見合う」相手を募集したのである。

「うん家柄も同じぐらいだ。武力もオレに遜色がない。よしオレが出ていこう」——相手はそう考えて出てきた。

何事にも、このバランス感覚が必要だったが、ことにわが身の価値の総量をあげて、男女は結ばれるべきであった。その価値のつり合いがお見合いに求められた。

ところが近ごろは「玉の輿に乗る」とか「逆玉」ということばがあるらしい。とくに男が逆に玉の輿に乗りたいなど、何ともフガイない。いやどちらの場合でも、不つり合いは不幸のもとである。もちろん家柄が悪ければ個人の能力がそれを補う。それで対等だから「玉の輿」に乗るのではない。

古来の日本人が大切にしてきた恋愛の心身カラーも、結婚の相互尊敬もバランス感覚も、すべて忘れて、昨今、何だか実体のわかない恋愛結婚が謳歌されるようでは、未来の不幸が見えすいているように思う。

若くて結婚した者ほど離婚率が高いという。中にはろくに子どもを育てることもできなくて、いわゆるコインロッカーベビーを作ってしまう十代の女性もいる。

もちろん傾向の問題だからすべてがそうではないが、もう一度、異性に対する心のいろどりを確かめ、尊敬の念を大切にして性愛を遂げることが、いま大切だと思う。

厨川白村は処女を問題としたが、恋愛が男女の愛である以上、性はごく自然にともなうものなのだから、古来の日本がけがらわしいことにはならない。むしろ性だけをことさらに誇大視することは、恋愛を正しく理解することからはずれる場合も出てくる。たとえば宗教上の約束にゆがめてしまう、といったように。

何よりも性愛とは、心にやどる尊敬とおのずから体に映発してくる心の匂いが中心なのだから。

ことば

愛にあふれ細やかな感情を大切にしてきた日本語

返事はイエスでもノウでもない

先ごろ世間で流行した「ノウと言えない日本人」は、日本人ならだれでも思いあたる節があって、広く話題になった。

もちろん、くやしい。しかし仕方がない。それこそ、こうバカにされても「ノウ」と言えなかったのである。

だから、この納得と反発をたくみに衝いて、「ノウ」と言える人物として、新しい都知事が選挙戦をたたかい、みごと圧勝した。

日本人はそれほど「ノウ」と言えないから、「ノウ」と言う人は勇気があるとされる。「ノウあるタカ」というジョークも聞かれた。

しかし、考えてみると、何事にせよ、イエスかノウかはごくごく基本の判断だから、内容によってもっとも単純に下されるはずのものだ。それなのに、「ノウ」と言う人が勇敢な人だというのは、とてもおかしい。

無心な赤ちゃんがイヤイヤをすると勇敢だなどということにはならないから、イエス・ノウがはっきりしている人は、もしかしたら、赤ちゃんに近い人かもしれない。

そうであるにもかかわらず「日本人は『ノウ』となかなか言えない」という命題は、今日も生きつづけている。日本人の生き方の、ごくごく根幹にある、大きな問題らしい。

そこでおもしろいことを思い出す。

もう五十年以上前になったが、第二次世界大戦でシンガポールを陥落に追いこんだ日本の山下奉文大将がイギリスのパーシバル将軍と停戦協定を結ぼうとしたときに、大将は将軍にむかって、「イエス」か「ノウ」かと大喝したという。

戦争中、もてはやされた武勇伝だった。

この話は、絶対に優位にたった人間が相手に判断をうながすとき、いっさいのあいまいで情緒的なことは考慮の外において、明快に答えを要求した、という話である。

もしイエス・ノウをはっきりさせるというのなら、いつも複雑な心の動きを捨てることになる。将軍がイエスと言えば力に屈して言ったのだし、ノウと言えば力に反抗して言ったことになる。

明快なイエス・ノウは力の関係から出てくるらしい。反対に、あいまいにイエスでもノウでもない答えは、心がちらつく加減から発せられるらしい。

日常生活でもそうだ。たとえば借金を申し込まれる。ニベもなく「断る」と言えるのは相手が絶対に弱いときだ。そこを「この人も困っているだろうナ」などと考えはじめると、貸したくもないのに、ついつい「いやです」とはすぐに言えずに、グダグダ言いはじめてなかなか「ノウ」とは言えない。

アメリカに対して日本が「ノウ」と言えない関係も、第一に力の大きさが違いすぎることがあるが、日本人は「アメリカがこう押しつけてくる理由もわかる」などと考えて、すぐには「ノウ」と言えない。

そうなると、イエス・ノウをはっきりさせるというのは、明快というよりごく単純な表現だというべきだろう。イエス・ノウという単純な二極分類は、判断が浅いにすぎない。

むしろ、すぐに「ノウ」と言わない日本人の伝統的な表現は、相手の立場も十分考え、単純な力関係でイエス・ノウを判定することをせず、イエスとノウという両極の間の程よい位置を見定めようとする態度ではないのか。

イエスとノウとの間には、じつはたいへんな距離がある。その間のどこで答えを出すか、それを考えることこそが、いま大切なのだ。

これをイエスでもない、ノウでもない「第三の返事」と呼んでおこう。熟考のうえだから聡明な返事だ。ウンウンかイヤイヤではないのだから、成熟した大人の返事だ。

ただ、あいまいだと受けとられると困る。自分が何を考えているか、相手にははっきり言う必要がある。熟慮が十分伝わらなければ意味がない。

また思い出すことを二つ書こう。

明治の女流作家・樋口一葉《ひぐちいちよう》はどん底の貧乏にあえいだ。そこである日、さる金持ちの男のところへ出かけていって、借金を申し込む。一葉の日記に書かれている、そのあたりのところを読むと、すさまじいばかりの殺気がただよっている。はりつめた緊張感がある。

イエスと言う方も言わせる方も、単純なイエスかノウかでないことを、よく知っている。これがほんとうの取引だと、感心して読んだことがある。

もう一つは最近（一九九三年）の丸谷才一さんの『女ざかり』。婦人記者が代議士に、あることを頼みにいく。代議士はイエスと言う。そして「それではあなたは私のどういう頼みをきいてくれるのか」と言う。婦人記者はびっくりするが、「それがないと、後をひきますよ」と代議士は言う。

私は、なるほど政治というものはかくのごときかと、これまた感心したが、さてこの話、代議士はイエスと言ったのかノウと言ったのか、皆さん、答えられるだろうか。

日本語の姿を認識しよう

日本人の応答は、どうやらたいへん高級なようだが、この高級さの正体は何なのだろう。

以前、私は政府の国語審議会の委員を三期つとめたことがある。そこでの大きな課題の一つは、敬語の表現をどう考えるかであった。敬語が日本語にはたくさんあって、複雑で、外国人泣かせであることは、よく知られている。

もちろん外国語にも、相手を尊敬した表現はたくさんあって、日本語だけのものではない。委員のなかには「敬語は日本語独自の美風だ」などと言う人がいて、私は仰天した。

じつはつい最近、私はヨーロッパの小旅行の途中、バスの座席に幼子を座らせようとして、父親が「プリーズ　シットダウン」というのを小耳にはさんで、気持ちよかった。ただ「シットダウン」だけでもいいのに。

また、上等な人ほど表現は丁寧である。人にものをたのむときも婉曲に言い、プリーズばかりか「for me」を加えたりする。

だから日本語に敬語が目立つというのは人種が上等なだけだ(!)

さてその上等ぶりは、どんな内容なのか、いろいろあるなかでまずとり上げるものとして、「〜させていただく」という言い方がある。「どうぞ、どうぞ」と椅子をすすめられると「ありがとうございます。座らせていただきます」と言う。「じゃ座ります」などとは言わない。

「いっしょに帰りませんか」「はい、おともをさせていただきます」。要するにこれは相手の行動によって自分がそうさせてもらうという意味だ。自分を椅子に座らせるのも相手。相手といっしょに帰っても、対等に行動をともにしているのではなくて、相手は自分を供として従える。そのように自分をさせる、と考えるのである。あくまでも相手が主で、自分はそれに従っているにすぎない。

これは、自分から進んでやるばあいでもそうだ。「本日司会をつとめさせていただきます田中です」と言って、司会は自分から口を切る。とつぜん客席から声があがって「つとめさせたのは誰だ」と聞くわけでもない。みんな当然のように聞いている。

いや、いちいち聞きさえもしないほど、あたりまえの表現であろう。つまり、それほど相手を立てるのが日本語だということになる。先ほどから問題にしている高級さとか上等さとかの中身は、じつはこの相手への尊重であった。

そこで念のためだが、相手への尊重を、封建的なものとか、階級意識とかと誤解しては困る。

そもそも日本語の敬語は、最初は親愛の気持ちをあらわす方法だった。八世紀のころはそうである。

それがやがて敬愛の気持ちをあらわすようになり、やがて尊敬の気持ちの表現となった。

そのうえでも、尊敬するかどうかは個人の自由だから、階級と見合うものではなかったが、一部で階級と敬語が一致してしまった。

そのばあいでも、心のなかで尊敬してもいないのに敬語を使うと、それこそ、慇《いん》懃《ぎん》無礼になる。

だからあくまでも敬語は相手を愛する気持ちの表現方法なのだ。愛は尊敬がなくては生じない。尊敬の気持ちのない愛があったら、お目にかかりたい。それがごく自然に出ているのが本来の敬語、さっき親愛をあらわすといったものだ。

だからそもそもの敬語は女性に対して発せられた。そもそも日本人の女性の扱いは、愛と尊敬にみちていたのである。

敬語が階級制を反映したものだなどと考えることが、いかに間違っているかがよくわかる。

現代日本人が、もし敬語など必要ないというのなら、他人を愛する必要はないという発言をすることになる。

いや、敬語なんか使わなくても、愛の気持ちは伝わるという反論もあるだろうか。もちろん、そういうばあいもある。家庭の会話など、そうだろう。しかしそれは顔付きや身ぶり、日ごろの行動が愛を十分保証しているからである。

あの「プリーズ」といって幼子を座席に座らせた父親も、上品ぶっていったのではない。わが子を十分愛していたからだ。

日本語は、こうした愛にあふれているから、ややこしい敬語をもつのである。それをわずらわしいといって敬遠するとは、愛を捨てることだ。かさかさした無味乾燥なことばがふえればふえるほど、日本人は愛のうるおいを手放すこととなる。

もっとも、過剰な敬語は不必要である。レジの店員は「一万円おあずかりさせていただきます」といって一万札を受けとる。これも「一万円いただきます」でよい。店員の過剰敬語は買わせるための手段が見えすいているようで、味気ない。車掌が「ドアをしめさせていただきます」というのも「ドアをしめます」でよいと思う。

要するにさっぱりした表現の方が、すなおに愛の心を伝達させるのではないだろうか。

文字遣いの美しさを生かそう

先に述べた「第三の返事」にしても、日本語が愛にあふれていることにしても、日本語がいかにこまやかな感情の表現を大切にしてきたか、を示すものだろう。

それはじつは、日本語がいろいろな文字をもち、書きしるすばあいにも、多様な表現が可能だということとも関連する。

英語などのアルファベットは一とおりしかないのに、日本語の文字には、漢字、ひらがな、片かなとあり、さらにはローマ字の表記もできる。

佐藤B作さんなどと、アルファベットの文字をとり込むこともできる。

いまの書き方のルールでは、外来語（それこそ「ルール」のような）は片かなで書こうと申し合わせができている。見た目にも変化があって、文字づらが華やかである。

そして同じことばにしても「アッと驚いた」「あっ、と気付いた」などと書くと、それぞれの、きわめて微妙なニュアンスまで表現できるではないか。

日本語は漢字とかなをまぜて書くのがふつうで、近ごろはかなが多くなったから、かなという川の流れのなかに漢字という島が浮かんでいるようで、造型的な美しさまで感じられる。

ことば遣いのうえでも、文字遣いのうえでも美しい日本語を、私どもは誇りたかく守っていくべきだと思われる。

つらなる

全体への帰属意識が人間の支点になる

ふたりでひとり?

ずいぶん前の話題だが、大学の入学試験で替え玉事件があった。A君が受けるべき試験の一部を、B君がA君のふりをして受けた。B君はA君の替え玉だった。もちろん不正行為である。発覚して大学当局は不合格にしたが、A君の父親がたまたま芸能人だったために新聞ざたになり、おおいに世間をさわがせた。

さてこのとき、じつは私は妙に割り切れない気持ちをもった。

B君はA君といつわって受けたのだから問題だが、最初から申し出て、試験も二人で受けたい、入学後も二人で一人分講義を受け、卒業証書を連名で欲しいといったら、大学はどうするだろう。

法律上の規則はどうか知らないが、教育の場としては勉強したいという意志を尊重すべきで、半人前ずつだからといって拒否することは、崇高な教学の理念にそむくのではないか。

事なかれ主義の大学では「二人とも単位の履修生になってください。正規の学生とは認められません」ということになるだろうか。せいぜい、善意をつくしても、そんなところだろう。

しかしそれは、形式主義というものだ。

いま、この問題を思い出してみると、問題は、われわれの周辺にみちている個人、個人というよび声と、関連してくるように思われる。

個性の尊重、個人の自由、自我の確立、全体主義からの脱却、集団主義の打破——、ああ、なんと個人が尊いことか。

「Cちゃん、どうしてもっと個性的な画が描けないの。お隣のDちゃんなんかびっくりするように奇抜よ」

そんな母親の叱り声に悩まされておとなになった人。

「いやー、彼の作品は個性ゆたかですよ」

他人といかに違う作品を描くかで評価がきまると考える人。そんな人はごろごろしているだろう。

人間は、それほど、他人と似ていてはいけないのか。似ている人は、ひたすら「凡庸」なのか。

それでいてあまり変わりすぎると、

「どうしてうちの子はこうも変わったことばかりやるのでしょうね。お隣のEちゃんを見てごらん。おとなしくていい子よ」

「いやー、彼は変人ですナ」

それじゃどうすればいいんだ。手前勝手な母親め。理不尽な世間の奴。

日本人にとって自我だの個性だのが勲章のようにもてはやされるようになったのは、やはり明治以後の欧米思想の輸入を、大きな契機としているだろう。封建制度に組み入れられて、しきたりに従うことをたった一つの美徳としてきた日本人を救ったものが個人の自由、人間の平等だったことは、いうまでもない。大正時代になると、個性尊重の教育が大きな旗じるしにもなる。

いやいや、個性尊重はいまでもつづいている。英才教育とか飛び級制度とかといって。

どうも私には英才は苦手である。三島由紀夫の小説に、自分を天才だと思っている少年のことがでてくる。それこそ天才三島は、この少年をいつも「そうなんです」と答える人間として描く。「そうなんです」という答えは、なにをいわれても、すでに知っていることを意味する。そんな小《こ》なまいきさを、三島は天才の嫌味として設定したのである。

じつはわたしの周辺にも、学生時代そんな男がいた。もちろん天才でもなんでもない。「そうなんです」がとても鼻についたから、みんなで、「今度大ウソをいってやろうか。それでもアイツ『そうなんです』って言うぜ」と笑っていたことがある。

こんな鼻もちならない人間――人柄教育がまるでできていない人間を、他人とちがってIQが高いからといってもてはやし、飛び級させるとはなにごとか。

ことほどさように、個人が尊重される現在、替え玉事件をみとめて、二人で一人などという扱いはとてもとてもできかねるだろうが、こんなに個性個性と個人主義をありがたがっていていいのか。

あの三島の小説にでてくる天才少年は、天才三島の自画像にちがいないと思うが、読んでいくうちに読者に伝わってくる深い孤独感を、否定することができない。

驕慢《きょうまん》な少年が胸にやどした孤独感。それをつくり上げたものは個性礼賛にほかならない。

国旗・国歌はだれのためにあるのか

そこでいま日本で大問題の国旗や国歌が、じつはこの問題と密接にむすびついていると、私は思う。

そもそも国旗・国歌は国のシンボルである。だから国の条約の締結や国際親善のためにはぜひ必要である。

数年前、韓国の国際会議に出席したとき、まず冒頭に国旗に礼をし、韓国の国歌が歌われた。日本人へのデモンストレーションだと非難する向きもあったが、私はすなおに国際会議だからとうぜんだと理解した。

一方、国旗・国歌は国家のためだけにあるのではない。一人ひとりの人間のためにも存在する。

一人ひとりの人間にとっての国旗・国歌は、要するに自分が所属するグループのシンボルとしてそれが納得できるかどうかで良し悪しがきまるから、個人がひとりのこらず全体と一致しているときにしか、国旗・国歌の全員賛成は得られない。

逆に、国旗・国歌を土台としていいかえると、どれほどの人が、その国旗・国歌に帰属意識をもてるかということになる。国民全員の帰属意識を獲得する国旗・国歌は、世界でどれほどあるだろうか。

フランスでは革命から国旗・国歌が生まれた。しかしいま、その記憶は生活のなかにどれほど残っているか。革命旗だったという、それほどに全体の総意からうまれたものでも、時代がたった現在では全国民的ではないのだから、全体の人びとの帰属意識の反映としての国旗・国歌は、とてもむずかしい。

そこで教育によって教えこむことになるが、抽象概念としての国家を教えることはできても、帰属意識を強制することは、とてもできない。ましてや国旗・国歌をこころのシンボルとして仰がせることはもっとできない。

もちろん私は国民である以上、国を愛するべきだと考える。もっと「愛国教育」をするべきだとさえ思う。しかしその内容は、日本の美しさ尊厳さを示し、内発的にこころのなかに誇りを抱かせる教育である。以前（一一ページ）にも書いたが、日本を否定するのがカッコよくて、日本をよい国だといえば極端なナショナリストよばわりされるようでは、日本は国家ではない。

しかしいくら強制しても誤った愛国心をうむばかりである。

のみならず、一方で個性尊重、英才への特別措置、ゆとりある授業といって、個人が全体から自由であること、個人の能力を育成する学習を重んじようとしているのだから、自由に考えようとする子どもたちは、卒業式や入学式に、国旗をかかげ国歌を歌うとなると、正直とまどってしまうのではないか。

そのあたりの整合性が、不明にしてわからない。

セレモニーが国際的ならわかる。すでに述べたとおりで、参加者全員の国旗をかかげて友好を強調するのはよいだろうが、入学式や卒業式は、だいたい日本人だけがやるのではないのだろうか。しかも国家規模でやるのではなくて、学校単位であろう。

しからば校旗をかかげ、校歌を歌って帰属意識を確認するのが、もっとも単純でわかりやすいのだが。

帰属意識をもとう

ここで国旗や国歌をもち出したのは、そのこと自身が主題なのではない。国旗・国歌を制定し、学校でかかげたり歌ったりしようという運動が、明治以来近代の輝かしい人間解放のシンボルであった個人の尊厳という目標と、矛盾しているように思うからである。

そしてまた、人間のあるべき姿にとって、格好の材料を提供してくれると考えるからである。

周知のように、世界各国で国旗・国歌を法律で定める国と、慣行に従う国とがある。まさにそのとおりに、一人ひとりの、こころの底から仰ぎ見られるべき深い象徴性を必要とすると同時に、国家間の記号として、その国全体を表現する性格ももつものが国旗・国歌であって、その帰着するところにしたがって、法で定めたり慣行によったりするのである。

そもそもの話題に移していえば、近代以前の日本の全体主義、近代以後の個人主義といっても、この、きわめてあらっぽい大わくは、ともどもに反対の個人の尊重や社会全体への配慮をもたなければ、意味がないのである。

よくいわれるように、徳川幕府の推進した儒学がある一方、庶民の間には寺子屋があり、藩の学校や農民のための学校すらあった。彼らが住んでいたのは封建制度による社会だったが、一人ひとりは、個人としての倫理を十分やしなうことができた。

しかし近代になると過去はいっさいが否定され、こんどは個人の自由ばかりがもてはやされた。

おまけに国家主義が主流となった、いわゆる十五年戦争時代があったから、昨今は、なおのこと個人の尊重が目立つ。その結果の生んだものが、片方の英才教育であり、片方のオタク族の群生であった。

国旗・国歌の制定は、これに巻きかえしをはかったのだろうか。もしそうだとすれば、ほとんど効果はない。

まず私は、あまり個性個性というのをやめようではないか、といいたい。孤独な思い上がり族を生むにすぎないからだ。

むしろ、近代以前がもっていた、良質の全体主義を思い起こすべきではないか。良質の全体主義とは、個々人の自由なこころの判断のなかで、全体への誠実な配慮をもつ、ということである。

孤独な天才も屈折したオタク族も、自分がどういう全体の、どういう位置にいるのかわからない。そんな状態が彼らのこころをむしばんでいくだろう。

いままで帰属意識といってきたものは、それこそ、自分を自分とする――アイデンティティーをつくり出すものだ。会社でも役所でも学校でも家庭でもよい。そしてまた国家でも社会でもよい。自分がその一員であることを自覚することは、昨今の人間にぜひ必要ではないか。

かつて日本には講などといって人びとが仲間をつくり、お伊勢まいりもした。講は金融組合でもあった。――それがいまの団体ツアー旅行になったといわれそうだが。

武士にしても程よい程度で藩という全体があった。

そのなかに他人がいてこそ自分が自覚できる。ヨーロッパのマイスター（職人）も、世襲の職業そのものに、帰属意識をもっているが、万人がホワイトカラーを欲するようになった近代日本には、それもない。

私はすこし、個性ある超人を、わるくいいすぎたかもしれない。しかし、全体のなかに自分がたしかに帰属しているのだという自覚こそ、人間をささえる最大の支点となるはずだから、こころの健全のために、それぞれの社会と自分とを結ぶことが大切であろう。

国旗や国歌がそれをはたすばあいももちろんあるが、逆に、その強制が自分の生きていることをあいまいにしてしまうばあいも、多いであろう。

けはい

五感を超えるものが人間の豊かさをつくる

「虫」が情報を伝えてくれる

以前、仲間でがやがやとおしゃべりをしていた時、「虫の知らせ」は英語で何というのか、ということになった。

ひとりがイマジネーションだと言った。そうなるとまったくちがう。「虫の知らせ」は虫が知らせてくれるのだが、イマジネーションでは、こちらがかってに想像するだけだ。

もうすこしクラシックな男がいて、「いや、プレモニションとか、プレセンチメントとかだ」と言う。前者なら先立って知らせてくれる者がいることになる。

モニターという英語は日本語にもなっているが、ほんらいこのことばには警告とか忠告とか、何やら悪いことがつきまとっている。この働きにプレをつけたものだ。

やはり「虫の知らせ」とは少しちがう。

後者ならセンチメンタルな働きだから、やや感情に入りこんでいて、情緒的なところがおおいにあるが、これもプレというから、先立った働きに中心がある。

それにひきかえて日本人は堂々と「虫の知らせ」と言う。情報を伝えてくれる虫がいるのである。直訳して「クリケット・インフォメーション」と言えば、外国人は目を白黒させるだろう。

虫の知らせは、必ずしも前後関係をいうのではない。確かめてみるとやっぱりそうだったといえばプレだけれども、まず虫が知らせてくれて、やがて正式の情報が届くというわけでもない。

むしろ虫という存在をみとめるところに大きな特徴がある。だから日本人が飼っている虫は、知らせてくれるだけではない。きらいな人間に対して、「あいつは虫が好かん」などと言う。どこがどうだといえないが、とにかく感情的、直観的に好きになれない時の気持ちである。

理屈でいえないものを、みんな虫のせいにするのが日本人なのか。

当節、理屈でいえないものは、存在がみとめられない。「虫が好かん」などと言うと、いかにも野蛮でヒステリックで、相手にできないのが日本人と、きめつけられてしまいかねない。

しかし虫にはもう少し、市民権をもたせるべきではないか。

「虫が好かん」どころか、もっといやな奴に会うと、「虫酸《むしず》がはしる」と言う。体中、ぞくぞくっとして「ああ、嫌な奴だ」と相手を敬遠する。人間だけではない。ナメクジを見ると虫酸がはしる人もいる。

ところが私は、妙に虫酸ということばに感心している。とにかく人間不愉快になると胃の中から口の中まで酸性になって胸やけして吐きそうになる。それが虫酸のはしった状態だとすると、これはリアリティーがある。虫酸は非科学的にいったり、迷信だったりするのではなくて、ほんとうに酸っぱくなるのだから、虫酸は捨てたものではない。

どうやら日本人のいう虫とは、霊妙な働き手であって、心理や情緒を具体的・生理的な働きによってコントロールする高級な生き物らしい。虫酸の反対に、相手に好感をもった時は「虫アルカリ」をいっぱい出しているのかもしれない。ちなみに、胎児の男女は卵管が酸性かアルカリ性かできまるというから、卵管にも虫がいるのだ（!）

そうなると事実よりももっと確実に、虫が情報を相手につたえても、けっしておかしくはない。こちらの虫が相手の虫といちはやく交信することもできるし、相手の虫がすばやくこちらへ情報を送ってくれてもいい。

要するに、人間の意識できる能力範囲を超えた世界で活動している働きを、われわれの祖先は敏感にキャッチして、「虫」というよび名をあたえたのである。

いまでも重病になると「病、膏肓《こうこう》に入る」と言う。間違って「膏盲《こうもう》に入る」と言ったりするが、これは体内にいるふたりの子どもが、内臓の中の、膏と肓の間に隠れたことをいう。ふたりの子とは病気の原因となる子ども。病気の因の子どもがここへ入るとなかなか治らないのである。

これなどは、やはり病気の因を子どもにたとえたものだから、虫といったのと似ている。

虫だの子どもだのと、たとえばなしでいうからわかりにくいが、人間の体の中には人間の五感——視覚、聴覚、嗅《きゅう》覚、味覚、触覚では知ることのできない生き物がいて、それが大活躍をしていることを、知っている必要があるだろう。

虫の情報をせせら笑っていると、思わぬ落とし穴におちるのである。

「気」が先手を生む

同じような働きで、こんな話を聞いたことがある。友人に六大学野球で活躍した男がいる。彼いわく「バッターボックスに立って球が飛んでくる時、バットは吸いよせられていく。球のくる方へもっていくなんていうのじゃないんだ」と。

球とバットに磁石が入っているわけじゃなし、そんなバカなと思うが、やはり快打が出る出合いは、技術や作為を超えたものであるらしい。もう体にしみ込んだ運動神経がそうさせるといってもいいし、スポーツ選手の勘だといってもいい。

やはりここにも、人間の五感という貧しい世界を、はるかに上まわる力によって行われるものの存在を、認めないわけにはいかない。

これも人から聞いた話だが、野球のイチロー選手は、バットをふる時、「お母さん！」と思うのだという。するとよく当たる。

これも私には大いにうなずける。心が安定し、神経が集中する。その虚心の世界に何物かがバットを合わせていく。この何物かこそが大事な存在なのだ。

相撲だって、心技体というではないか。心の重視は横綱の権威のためではない。心を澄ますことによって何物かが働けるようになり、勝つことができる。技や体と切りはなされた心を横綱に要求しているのではない。

この何物か、これがくせ者だ。虫と同じように、正体を見せない、それでいて絶妙な「何物か」を日本人は「もの」(物)とよんできた。「物心がついた時から」などとわれわれは平気でいうが、外国人から「What is monogokoro?」とききかえされると、困るのではないか。

むかしは「もの」を霊魂の働きと考えていたが、現代語の物心には、まだそれが残っているかもしれない。一般的な心以上に、十分認識できる心、魂をともなった心が物心だろうから。

「もの」は虫よりもっと実体がはっきりしないから、これは何となく漂うように存在する。そこでこの漂うものが大切である。

いま、この漂うものを「け」とよんでおくと、中国の気功術の気《き》も同じである。気は見えないが、気功の実態がわれわれを驚かせる。だから「け」もたしかに実体をもつにちがいない。

われわれは気配《けはい》というではないか。気配は当て字で、ほんとうは「気・延《は》い」——気の広がりのことだ。

これまた友人で柔道の達人がいる。彼は電車に乗るとくるっと車内を見わたす。

すると次の駅でおりる客がすぐわかる。その前に立っていると、必ず次の駅ですわれる、と豪語する。

よくわかる話だ。人間、無意識にソワソワしているのである。凡人の目にはわからないが、柔道の達人はつねに動きに先立つ気配を感じて勝負するから、彼にとっては気配は何となく感じるなどというものではない。きわめて具体的な存在なのだ。すべて勝負師は、凡人の感じない「け」を感じることができるほど、訓練を積んでいる。イチローだって横綱だってそうだ。

ところが現代人は心の訓練なんて前近代的な精神主義だと思っている。その結果、データが出てきたところから勝負を始める。乗客が腰を上げてからわれ勝ちに殺到しても、もう遅い。とっくに「け」を感じて前に立っている客がいるのだから。

精神主義は競争社会にこそ大切である。

一流の企業家は、みな修養を心がけているではないか。何ごとも先手必勝。先手は虫や物、気がおしえてくれるものなのである。

大切な「人間であること」

物が見えない、感じられないというのは、自分の内面が充実していないからで、達人は見えている。感じている。

考えてみれば当たり前で、そもそも人間の視力、聴力ともども一定の範囲でしか働かない。フクロウほどに視力があれば、物の存在はどっとふえる。視力なんてたわいもない。光があるから明暗ができる。明暗ができるから物の形ができる。反対に光がなくなると人間お手上げになる。

光には屈折率の違いがある。だからさまざまな色が見える。それだけのことだ。その中でそれぞれの生き物が音域や視界を異にしているにすぎない。

人間何ほどのこともないのに、わが五感の中に入るものだけが存在であり、それ以外に存在があると考えるのは非科学的だというのは、思い上がりもはなはだしい。

そこで現代人は、顕微鏡だの望遠鏡だのというもうひとつの目を借りることで、少しずつ存在物をふやしてきたが、なお認識できない物はいっぱいある。

日本の古い物語では美男が光源氏とよばれ、美女がカグヤ姫といわれる。ともに美しい人間は光りかがやくというわけだ。たしかに輝かしい存在とか、希望の星とかと、今でも言う。

ところがこの光は、たとえばなしではないらしい。美しい人間は、ほんとうに光を発しているのだという。目下のところ、それがどのていど測定できるのか、数値はしらないが、たしかに、体にせよ心にせよ、美しい人は暗く沈んでなどいないではないか。美しい人は、ぱっと明るい。

美しい人を匂いで言うこともある。光源氏の子は薫《かおる》。その恋のライバルは匂《におう》の宮。現代人だって、「いやあ、今日町で美しい人に会ったよ。匂うような美しさだった」などと言うだろう。「あの人すてきね。いつも何か、かおりが漂っているようね」とも。

この匂いも香りも、もう現代科学の力をもってしては、すでに測定可能になっているのかもしれない。いいたとえではないが、生き物の出すフェロモンだって、具体的な匂いの一種だ。

そうした中で私がいちばん感心するのは、音である。

パーソンという英語は日本語で人格と訳すように、人間の風格をいうことばである。ところがパーソンとは「音によって」という意味らしい。パーは「を通して」、ソンはサウンドの仲間である。つまり高潔な人格は、響きとなって、その人から発せられると考えたことばである（異説もある）。

これまた光、匂いと並んで、すぐれた人の出す音も、やがて実際に測定可能になるだろう。もうできているのなら、なおのこと手っとり早い。

残念ながらパーソンのように、人格を響きとしてあらわす単語は、日本語にはない。日本語では人格の響きといった説明をすることになるが、さて日本でも英語圏でも、人間の響きを大切にする思想は、いまや忘れられているのではないか。

人間の輝きや香り、また響きを大切にすることによって、現代社会はどれほど豊かになるか。人間の豊かさなどいっていてはだまされるのがオチだという、目先の効用主義を排除してこそ、ほんとうの信義にみちた共生、共存がうまれるはずである。

最近、ユネスコがかかげた教育目標のうちの最終目標は「learning to be」である。「人間としてあること」の学習は、いま全世界でもっとも必要とされる、現代人の忘れものだろう。

〝to be〟を養うものこそ五感を超えたものである。

かみさま

八百万の神様がいる日本

そもそもカミは熊だった

森喜朗さんが総理大臣だったころ、「日本はカミの国だ」といって大さわぎになった。仏教界から大反発があったらしい。戦争中の日本を感じて嫌だった人もいた。さらには、発言の場所が神道関係の会合だったこともあって、意外に事柄がエスカレートした面もある。

一方、総理の方は謝罪を拒否した。説明不足だっただけで間違った発言ではない、というのである。

はたして真実はどうなのか。ここで日本の神様のことを、もう一度確認しておく必要があるだろう。

いったいカミという日本語はどういう意味か。昔から諸説あるが、どれも不十分だ。そこで私も考えあぐねて、最近やっと自信のもてる説明ができるようになった。カミは日本プロパーのことばではなく広くアジアに共通することばらしい。すなわち、日本語のカミは韓国語のコムと同じではないか。韓国語では熊をコムといい、日本語ではクマという。

御承知のように、熊はアイヌ語でもカムイという。カムイとは神のこと、つまりアイヌでも動物としての名はなく、熊を神とよぶのである。

じつは英語で熊をさすベアーも神様のことだ。また昔ケルトにアーサー王がおり、いまもマッカーサー（アーサーの息子のこと）がいるが、このアーサーも熊のことである。これまた、熊王こと神なる王なのである。

このように並べてみると日本語も仲間に入る方が自然であろう。日本語のクマも韓国語のコムも、ともにカミと同語だと考えた方がいい。

むかし神様として祭られていた熊の石像が、いま韓国の熊津の博物館にある。一方日本語でも古く、神様へのお供えをクマシネといった。ずばり、クマはカミと同じことばだということがわかる。

神武天皇は日本の第一代の天皇だが、九州から東上、大和に王権を立てようとした時、熊野であやしい神の気に当てられて彼の軍隊はみんな意識を失ったという。これも熊＝神の気に当てられた話である。

さてこうなると古代世界では世界中で熊という動物を神様だと考えていたことがはっきりする。いや、正しくいうと神様の化身だと考えていたのである。

そもそも神様は人間の目に見えない。もっぱら夜現れると思われていたから、見えないのも当然である。こぶとりじいさんの話だって、鬼は夜出て来る。だから現代、神社の祭りを昼やるのは便法にすぎない。

見えないとなると、神様はどこにいるのか、どんな姿をしているのか、と人間あれこれ想像する。すると山野に住む人たちにとっていちばん恐ろしくて、いちばん人間の形に似ている熊に神様をなぞらえることになる。あれこそ、神様にちがいない、と。

森林がうっそうと茂り、人の入ることを強く拒否する熊野は、正しく書くと神野であり（野はスロープという意味）、神である熊がたくさん生息する山中だったのである。さっき書いた初代の天皇が紀伊半島の南端から熊野を通って大和へおりてきたというのも、いったん天皇が神野の通過儀式を受けて、大和に来て王となったという物語なのである。

目にも見えない、そのくせ恐ろしい神様も、具体的に熊がその姿だとわかってしまえば、もう熊を大切にし、熊の危害を避け、恩恵を与えてもらえばいい。人間が神様と仲よくする方法が、熊こそ神の化身だという考えなのだから、昔の人はかしこくて、しかも大らかな生活をしていたことになる。

日本はクマの国だといっても、だれも目くじらを立てないだろう。現代の熊と古代人にとっての熊とは違うとしても、少々、そんな発想の転換もほしい。

ホトケという神様

ところで、六世紀のころ、日本には仏教が入ってきた。インドから中国へ伝わり、さらに韓国へとやってきた上での、長旅だった。

そのころの歴史の書物によると、韓国人が石の仏像をもって来たというし、木づくりの仏像もあったらしい。祭る者がいる一方、すぐ入江に捨てる者もいて、ひともめあった。

つまり仏様は新たにやってきた神様だから、今まで神祭りを中心としてきた人には困りものだった。そこで宗教戦争が起こった。

しかし七世紀の大人物、聖徳太子が手厚く仏教を保護したので、仏教は急速に日本に広まる。以後千年以上の歴史を通して、日本人は仏教と切っても切れない深い関係をもって今日に及んでいる。日本のお寺は観光客でにぎわう。どこにはどういう仏様がいらっしゃるか、人びとはよく知っている。

そこであらためて注意を喚起したいことがある。

そもそもホトケということばは、どういう意味か、と。

ホトケはインドでブッダ（buddha）という。その音を中国の文字に当てて仏という単語ができた。

それが日本に入ってきた。とすると日本語でもブツでよかったはずである。ホトケではなくて。そこを考えてみると、ホトはブツと同じことばだ。だのに日本人はブツにもう一つケをつけた。

ケとは何か。ケは韓国語で「様」という意味だという考えもできるが、気配《けはい》、物の気《け》、気色《けしき》ばむといった気だ。すなわち何となく漂う、正体を見せないものがケである。

つまり日本人はブッダを、見えないもの、あたりに漂うように存在するものと考えて、わざわざ「ブツ（ホト）＋ケ」という日本語を作ったのだった。

要するに仏像は仏の偶像だから、日本人は最初から偶像によって仏教を受容しながら、仏像自体をブッダとする考えをしりぞけた。

ブッダをとくにお釈迦さまと考えると、ブッダは実在の人物だから、いま日本にいるはずはない。そこでブッダはケとしてしか考えることはできないことになるが、しかしそう思ってホトケということばを作ったのではあるまい。

やはり仏をカミと同じように正体が見えないものと考えたのだと思われる。ずっと後、十二世紀のころになるが『梁塵秘抄《りょうじんひしょう》』という本の中に、次のような歌がある。

仏は常にいませども
現《うつつ》ならぬぞあわれなる
人の音せぬ暁に
ほのかに夢に見えたまう

「仏様は亡くなった後も永遠に生きておられて、いつも救ってくださるとは思うのだけれども、実際に姿をお見せにならないのが悲しい。しかし人の物音もたえた夜明けに、ほんの少し、夢の中にお姿を見せる」という歌だ。まさに、仏がケであることを歌うものである。

このケの空しさに人間は堪えがたくて偶像を作ったが、そもそも初期のインド仏教でも仏の椅子だけを彫刻して、姿は空白のままにしている。一世紀ごろのガンダーラでは、鋸《のこぎり》の歯のように光を四方に放つ円輪で仏を示す。まさしく仏はケとして存在したのである。

仏教の偶像崇拝は日本人の神信仰にも影響をあたえて八、九世紀には神様の木像が作られるようになる。それは老人の姿をしたものであった。

しかしそれ以前は神様の正体と考えたのが熊だったと、さきに言った。つまり神の偶像を作る前には自然界の恐ろしい存在に神を結びつけたのだから、仏教がいきなり人間の形の仏像を作ったのとは別である。

別ではあるが、仏教でも山川草木悉皆成仏《しっかいじょうぶつ》といって、自然物のすべてに仏性を見つけ出そうとするのは、明らかに神様の信仰への歩みよりである。

カミとホトケとよび名が違うにせよ、日本人は昔から似かよった神様をもっていたといっていいだろう。

「日本はカミの国だ」というとしたら、そのカミからホトケを排除することは、日本人の心情ではとてもできないはずである。

渾然とした八百万の神がみ

しかしカミとホトケが一緒などというと、大変叱られるかもしれない。しれないが、今のような神仏分離は、むしろ作為的に明治政府がやったことで、それまでの日本人の自然な感情では、分けるなど、ふしぎでさえあった。

早い話、七福神という宝船に乗っている七人の神様は、まことに雑多な取り合わせである。

大きな袋をかついでいる大黒《だいこく》さまは、インドでマハーカーラとよばれた神様で、仏教にとり入れられると仏の守護神となったが、やがて福の神となり、ダイコクの音が通じるところから日本の神様、大国主の神と同じように考えられた。大国《だいこく》とよめるからである。

鯛を釣っている恵比須は夷《えびす》、つまり野蛮な神様というにすぎない。海の彼方から来たと考えられて魚をもたされたのだろう。

弁財天はインドのサラスヴァティという川の女神だが、のちにヴァーチュという女神と一体になり、ミューズの女神だから弁才と訳された。そこで琵琶を抱えているが、一方、才は財と考えられて、金もうけの神様になった。

このほか毘沙門天《びしゃもんてん》はインドの仏法の守護神。布袋《ほてい》は中国に実在したお坊さん。寿老人、福禄寿は中国の道士と、まことにバラエティーに富んでいる。日本人にとっては、そのすべてが「福の神」なのである。

もう一つ例をあげると香川県の有名な金毘羅宮《こんぴらぐう》。これはインドの想像上の動物、クンビーラを祭った神社である。クンビーラは長い鼻をもつ鰐のこと。仏法を守り、インドの象頭山《ぞうずざん》に宮殿があった。だから日本でも鎮座する場所を象頭山という。金毘羅参りの人びとは鰐をおがんでいると知っているのだろうか。

しかもインドから仏教といっしょにやって来たという由来からすると、金毘羅寺のはずだが、明治以前には、金毘羅大権現といい、本来の祭神を大物主神《おおものぬし》と称した。権現さまは神や仏が別の姿をとって出現したもののこと、つまり大物主神が金毘羅としてかりに姿をあらわしたと考えたのである。

そして町の名前まで琴平町となると、もうクンビーラは片鱗もなくなる。

こうした例は日本中いたるところにあり、あげていけばきりがない。要するに日本のカミは出身地も性格もさまざまなカミたちが寄り集まり、福をもたらしてくれれば何も問題にすることはなかったのである。

明治政府は神仏分離といい、学者はそれまでのありさまを神仏混淆《こんこう》と名づけるが、そう否定的にいう方が、むしろ実情に合わないありさまだった。

そして考えてみれば、人間を助けてくださるカミの出身の違いを洗い出したり、そもそもの性格は別だといい立てたりしても、はたしてどれほど有効だろうか。それが必要なのは学者だけではないか。

カミは深く人びとの心に受けとめられ、浸透し、心の救いとして存在することこそ大切であろう。

明治政府は小さな神社の統合もおしすすめた。しかし一社に合祀されることで、たくさんの神社が消えていった。

いま沖縄ではウタキと称する聖域があって、ささやかな森があるにすぎないながら、熱心に拝む人の姿がある。合祀以前の日本の社は、こんな具合だった。

総理大臣の発言の可否は、いま問題にしない。むしろこの発言であらためて明らかになったことは、カミを狭く狭く考えようとする現代の日本人の姿だったように思う。

もっと大らかに神も仏も権現もカミとして、敬虔《けいけん》な祈りをささげ、生活の幸福を願いながら仕事をすることの方が、いま必要なのではないか。

八百万の神がみがいらっしゃることは、日本人の心の豊かさにほかならないのである。

第2章

躰

ごっこ　子どもよ、もっと仲間と遊べ

塀とキャッチボールをする子ども

子どものころ、大失敗をした。

ランドセルも靴もピカピカの小学校一年生、入学式もおえた最初の登校日だった。かねての遊び仲間もこれから小学生である。朝、元気いっぱいに家を出た私は、そのAちゃんをさそって学校へいこうとした。

Aちゃんの家までいった私は、門の前で勢いよく大声をあげた。

「Aちゃん。遊びましょ！」

言ってしまって、われながらあわてた。しまった。今日は遊びじゃなかった。学校へいくのだった。

はたせるかな、やがて中からランドセルをせおって出て来たAちゃんは、にやっとしながら「学校へいくんだろ」と兄貴ふうな口をきいた。きっと家のヤツがいったせりふだ。

いま思い出しても赤面するような失敗だったが、仕方ないサと自己弁護したい面もある。なにしろ、私が子どものころに友人の家をたずねるとなると、それは遊び以外の何用でもなかった。小学生なら学校から帰るとすぐに遊びに出て、夕方暗くなるまで遊んでからやっと家に帰るというのが、だれひとり疑いもしない習慣だった。太陽が出て西へ沈むのと同じぐらいに、それはあたりまえのことである。

学校へまだ上がらない子どもだって、日が高くなると、もうじっとしてはいなかった。兄や姉がいる子は、彼らが学校から帰るのを待ちかまえていて、いっしょに遊びにつれていってもらった。

だから友人の家の前で声をかけるとなると、「遊びましょ」しかないのである。このせりふは「こんにちは」ていどの意味しかない。あるいは「遊びましょ」は括弧にくくってもいい。「Aちゃん、いるの」とひとしい。ちなみに、よばれた子はすぐ出てくるか、出て来ないときは、これまた家の中から大声で「あーとーでー」と返事した。

断ることを「後で遊ぶ」というのは、どんな親の入れ知恵か、東京・山の手あたりの、ごくあたりまえの断り文句だった。

こうした子どものころを思い出してみると、むかしの子どもは、よく戸外で遊んだ。わいわい、がやがやと歓声をひびかせながら、大勢で。

学生時代、英文学のB先生のお宅に遊びにいったとき、先生が「近所の子どもがうるさいとき、私はトイレの窓から大声でどなってやるのですよ。『うるさい！』ってね」と言われたのを思い出す。

トイレの窓とは、ちょうどお宅のトイレが道に面しているからであって、先生の趣味ではない。井の頭沿線、「このあたり静かですね」と私が言ったときのことである。

ところが近ごろはどなりようもない。だいたい路上で遊ぶ姿を見かけない。ひとつには子どもの数が少なくなったからであろうし、遊びよりも「お受験」の塾通いがいそがしいせいもあるだろう。

いや、遊ぶ時間があっても、せいぜい家の中でテレビゲームを楽しむ方が多い。戸外で泥んこになって遊ぶというのは、カッコよくないらしい。

いま私が家にいても、もう子どもの歓声など聞いたことがない。だからB先生のようにどなるチャンスもない。

たった一度だけ、近所の子がひとりで、ボールをよその家の塀にぶつけて遊んでいるのを見たことがある。たったひとりで、黙々と、しかもよその家の塀にぶつけて。

私は、孤独の深淵をかいま見たような気がしてぞっとした。むかしだったら父親とキャッチボールをしただろう。よその塀にボールをぶつけているのを見たら、父親は叱っただろう。

この子の場合には、キャッチボールをしながら父親が子どもにむかってかける「それ」とか「いくぞ」とかということばもない。相手は無言の固い塀だ。これでは孤独な心を、塀にぶつけているとしか思えない。

しかも自分の家の塀なら叱られるから、よその家の塀なのである。

現代っ子は重度の失語症だ

遊ばなくなった子どもは、いくつもの大きな忘れものをしている。

なにしろ遊び相手という、対人関係がなくなってしまったのだ。人間は相手との往復関係のなかでどんどん成長していく。それがなくなることは、成長がゆがめられることを意味する。遊び仲間には年上の子もいるし同年、年下の子もいる。そのなかで成長するはずの、大きな教育の場を失ったということだ。

しかも遊びでは原則として実力本位だから、強いものが勝った。そのためにいろいろと勝つ工夫をした。

ベーゴマという遊びがあった。コマを回して相手のコマをはじき飛ばせば勝ちである。だからコマのまわりを削り、鋭くとがらせておくと強い。

いかにも勝負強そうな悪ガキは、精悍《せいかん》な形をもったコマをつくりあげては、ちらちらと見せた。

正月には近所の草原に集まって凧《たこ》をあげた。凧の本体だってつくることもあったが、店から買ってきた凧にしても、新聞紙を細長く切ってつないだ尾をどれぐらいの重さや長さにすればよいか、さまざまな工夫がいった。軽いとキリもみになって落ちてしまう。もちろん重いとあがらない。

風が少ないときは走ると多少はあがる。しかしそんなことをするのはガキっぽくてこけんにかかわる。年かさの子は年かさらしく悠然とかまえながら、しかしりっぱにあげるのである。

メンコという遊びはいちばん人気があった。自分のメンコを地面にたたきつけて、相手のものを裏がえしにしてしまう。すると自分のものにできる。

そのためにはメンコに威力がなければならない。ひそかに蠟を塗って重みと力をつける。

竹トンボなどは、まさしく手づくりだった。竹を切って軸と羽をつくり、くるくる回して高くとばす。よく飛んだ方が勝ちである。

竹トンボは軸穴が大事で、大きすぎるとまったく飛ばない。狭くてもひっかかる。ほどよさがコツだ。そして羽の削り具合が絶妙で、羽の薄さ、カーブのつけ方がすべてを決定する。こうした高級なことは、とかく都会っ子は不得手だった。

いまではもう名前すら忘れられたものばかりだが、こんな遊びには手づくりの創意工夫が必要で、つくり上げたものにはたいへんな愛着があった。なくなればまた買えばいい、といったものではない。

しかもこの創意工夫は勝負という対人関係から出てくる。つまり人間関係から生まれる「対話」のなかで、子どもはそれぞれより上等な立場をつくっていくことにしのぎを削るのだから、無言の塀にボールを投げつけているのとは、わけがちがう。

どうしたらメンコを一枚でも多くとれるか。それをつまらないことというのは当たらない。

勝負という「対話」をはげしく交わしながら自分を訓練していくところに、むかしの遊びの値打ちがあった。

鬼ごっことか隠れんぼなどもよくやった。探偵ごっこなどもスリルがあった。こういう集団の遊びはいっそう濃密に集団の規律に従うのだから「ことば」が飛び交い、自分にふりかかり、自分からも「対話」をこころみる必要があった。

それがテレビゲームに代わってしまうと、生身の相手や仲間から発せられる「ことば」がない。だまって指先を動かしているだけで、自分の生の「ことば」を発しない。

お互いが人間らしく勝ちほこったり、くやしがったりする「対話」。お互い勝とうとする激しい心の「ことば」。仲間として規制され、規制に従おうとして交わしつづけられる「ことば」――こうした「ことば」をもつむかしの遊びをすててしまった現代の子どもは、みんな成長を拒否する、重度の失語症である。

大人のまねができない現代っ子

さきほど鬼ごっこにふれたが、「鬼ごっこ」は「鬼ごと」が変化したもので、「ごと」とは、いまも「ああ暑い。夏のごとくだ」などと、いささか古風にいうことがある、あの「ごと」である。つまり「～のようだ」という意味になるが、「ごと」はもっと古くは「こと」といった。「こと」は「～のようだ」どころか、「同じ」という意味だ。いまでも「鬼平こと長谷川平蔵」というだろう。この「こと」が、古語の生き残りである。

つまり「鬼ごっこ」は「鬼と同じこと」「ままごと」は「ままと同じこと」をする遊びである。だから何にでも通用する。「兵隊さんごっこ」「学校ごっこ」などと。それぞれまねをして遊ぶことだ。

鬼ごっこはウソの鬼が出て来て人間をつかまえては殺すまねをする。ままごとは家庭の日常をまねする。なかでも「まま」というのは御飯のことだから、主婦の食事の準備、世話、片付けが中心となる。客が来ると茶菓の接待があり、とかく家庭をとりしきるお母さんを主役とするまねごとが「ままごと」である。

「兵隊さんごっこ」「戦争ごっこ」はかなしいかな歴史が古くて、日本では五月五日に子どもたちが石を投げ合い、斬り合いをして遊んだ。「印地打《いんじう》ち」とよばれる。さてこうした「ごっこ遊び」は、それぞれ大人たちのやっていることをまねする遊びだから、知らず知らずのうちに、大人たちのやり方を身につけることとなる。同じ仲間のなかにいる年上者がしぜんに指導役になる。

彼が鬼からの逃げ方、戦争の仕方をおしえ、彼女が主婦役をつとめて年少のものは来客や子どもになって、少しずつ「ままごと」の家族がつくられる。道ばたに赤まんま（イヌタデ）の花でもあれば申し分ない。

ところが「ごっこ遊び」の姿など、もう何年も見かけなくなった。要するに、子どもにとってもっとも大事な大人への成長過程であるまねごとが、遊びといっしょに子どもの世界から消えたのである。

まねごとを通していままでの子どもは少しずつ大人の習慣やふるまいを身につけてきた。その過程が、もうないのである。

それでは「ごっこ遊び」の代わりがあるかといったら、家庭のどこにもない。子どもにはいまやみんな個室が与えられ、子ども部屋にも必ずテレビが一台という時代になりつつある。そこで子どもは漫画を読みひとりゲームをする。

子どもは戸外の集団の場を失っただけではない。戸内でも教育の場をもたないのである。

大むかしはいろりを囲んで家族が集まり、子どもはそこでいろいろなことを学んだ。家族が集まらなくてもおじいさん、おばあさんが昔話をしてくれたり絵本を読んでくれたりして、彼らを中心に子どもの輪ができた。

いろりもなくなり、核家族となった現代の家庭のリビングルームの主役は、テレビである。画面が低俗な歌や踊りやお笑いを、一方的におしつけてくる。

それがいろり端のあるじの、その場その場での有効な発言に代われるはずもないし、年寄りの昔話を超えるとは、とても思えない。ましてや、テレビと向き合っていても「対話」はない。あの塀にボールを投げていた少年のように、テレビは少しもキャッチボールをしてくれない。

一方的で低俗なテレビが、いまや一家のだんらんに君臨する現代の帝王である。その一方で大人への過程として必要不可欠であった「ごっこ遊び」も消えてしまい、個室でポツンと漫画を読む子がふえた。

中国のいわゆる「小皇帝」——一人っ子はその最たるものだろう。国にとっては全体の人口政策こそ大事だろうが、人間は一人ひとりの生涯を、与えられておわる。

問題は、その生をどう生きるかにしかない。

学校へいくのに「遊びましょ」と誘う子も、意外に捨てたものではないとひそかに思うのだが、どうであろう。

まなぶ

生命のリズムを育てたい

塾を作れ

先ごろ（二〇〇〇年四月）、東京新聞の「大波小波」欄に、小生名指しで、提言をいただいた。こういう内容である。

この少し前、私は雑誌「諸君！」に大学論を書いた。文学部が縮小しつづける現状に対して、文学部の活性化を説いたのである。これに対して提言は手きびしい。いかに現状を変えようとしたって、大学に向いていない教員が同じ仲間をつれてくる人事を続けているのだから、いっこうによくならない。昨今は学生に教員の評価をさせるなど対応策をとろうとしているが、授業中眠っているかおしゃべりしているかの学生に評価してもらっても始まらない。

そこで、提言者いわく。中西先生よ、良質の先生だけを集めて文学研究の大学を作ったらどうだ、と。

ぶっちゃけた話、当今かまびすしい大学改革とは、要するに大学教員改革なんだ、というひそひそ話が、大音響で聞こえてくる世の中である。幸か不幸か、提言はまことにそのとおりと、受け入れざるを得ない。

しかし、それでは独自の構想と組織をもった大学が作れるかというと、目下決められた手続きにしたがって文部科学省に申請し、二年かかって、さて許可してもらえるかとなると、問題が山ほどある。今どき、大学を作ってくれるスポンサーだって私には心当たりなんかない。

結局のところ、作るのなら国の法によらない学校だろう。東京の文化学院はその点で有名な学校だが、そういっても法によるかよらないか、一般には区別がつきにくい。要するに塾ですといった方が、ああ、とわかってもらえるだろう。「学習塾？　うん、うちの子は学習塾でほんとうの学力がついたヨ」という父親も多いのではないか。

いまや大学を出た若者も、学校勤めを希望しないで塾の教師になる者がふえている。提言者も、こういうイメージで、私に塾を作れというのではないか。

じつは、塾を作れといわれたのは二度目である。もう三十年も前だが、学界の若手が、

「先生、まだ大学につとめているんですか。早くやめて家で教えて下さいよ」

と私に言ったことがある。

「そんなこと言ったって、大学をやめれば生活できないじゃないか」

「いやあいいんですよ。玄関に菓子折の空箱かなんか置いといて、きた人間がチャランって入れればいいじゃないですか」

「おいおい、日曜学校の募金箱じゃあるまいし、チャランでどう生活するんだ」

ウソの話ではない。彼も大まじめであった。私は胸中でソソくさと計算した。一人百円玉を入れてくれて一〇〇人くると一万円。月三十日喋り合っていて月収三十万。

しかしわが家に一〇〇人に一日中ねばられる広さはない。三分の一とすると月収十万円ダナア。

十万円の勇気がなかったからこの話は立ち消えになったが、三十年間覚えているのは、話が核心を衝き、一方私が日常に不満と後ろめたさを感じていた証拠であろう。今度の提言者は、こんな過去を久しぶりに思い出させてくれた。

正義は消滅しないということだ。

たしかに私と議論したいと思ってくる若者は、居眠りもおしゃべりもするはずがない。学生からの私への評価はできた上での話だ。昨今大学に課せられている独立法人としての経営努力もチャランでクリアしている。外部評価も、未知の若者がくればそれがそのまま外部評価である。大学が要求されている個性も、論議しか売り物はないのだから個性の塊である。

私はやはり大学をやめて、塾を作るべきなのだろうか。

学校に「家庭」がない

少し古いが、二〇〇〇年の元日付で中日新聞が見開き二ページを使った、大々的なアンケートには、いろいろ教えられた（ギャラップ社委託。九九年十一月。日本、アメリカ、フランス、中国、タイの二〇一五人が有効回答。二十〜六十代の男女）。

その中に「子供の教育で最も重要な役割を果たすべきものは何だと思いますか」という項目がある。すると日本では家庭が七十四％、地域社会が十九％で、学校という答えは何と五％しかなかった（その他一％）。ちなみに学校がもっとも多かったのは中国で四十六％（家庭四十五％）。その他も挙げておくとタイ二十六％（家庭五十一％）、フランス十三％（家庭七十八％）、アメリカ十二％（家庭七十四％）だった。こう並べてみると日本の学校がいかに信頼されていないか、寒気がするぐらいによくわかる。

そしてこのアンケートが強力に物語ることがもう一つある。全世界的にみられる家庭教育への期待である。中国がわずかに半数を割るものの、他は半数以上。のみならず学校教育への期待との差ではアメリカ六十二、フランス六十五、日本は六十九という数字になる。

学校、頼むに足らず。教育は圧倒的に家庭教育にある――いわゆる先進国はみなそう思っているのである。日本の仲間入りは、欧米をまねた近代日本の学校教育の失敗を物語っている。

それでは何をどう失敗したのか。

またしても塾を考えることになるが、例の一つとして江戸末期に大坂にあった適《てき》塾をとり上げてみよう。蘭学の医者、緒方洪庵《おがたこうあん》（一八一〇―一八六三）をリーダーとした適塾は、福沢諭吉も学んだ学校である。この学校の精神を学ぶと一万円札の顔になれる。

適塾は洪庵のもとで最新の医術を勉強する学校だから、要するに医学校だが、福沢諭吉をはじめ軍人として活躍した大村益次郎、尊皇の思想家・橋本左内が育ったように、適塾は技術としての医学を教えなかった。

徹底的に教え、学ばせたのはオランダ語であった。ことばは人間が基本にもつ武器である。思想も行動パターンも教養も知識も、すべてはことばによって作られ、ことばを揺り籠として育てられる。要するに適塾の基本方針はグローバルな原点を身につけさせること、その上で自由に自分の志によってはばたかせることであった。

作家の西岡まさ子さんの好著『緒方洪庵の息子たち』は洪庵の男の子たちが幕府の留学生としてオランダ、ロシア、フランスに赴く様子を入念に描き、適塾が卒業後のひろい活躍をいかに可能にしたかをいきいきとうつし出している。

この適塾のあり方が、江戸時代の塾なるものの特質を、もっとも雄弁に語っているのではなかろうか。学校は分化した専門の知識や技術を教えるもっと前に、やらなければならないことがあるのだ。適塾のように、知識人、教養人として働くことを可能にする全人間的な資格、それをこそ教えるべきなのだろう。

全人格的な原点、それを今の高等教育が忘れてしまって、知識教育や技術教育のみを施そうとするところに問題がある。

いや大学だけではない。小学校も中、高等学校も、先生と生徒がかみ合わなくて、妙に上すべりしてしまっているのではないか。たしかに字が読めるようになったり、計算が早くできるようになったりするが、それをよしとする人は五％にすぎないのだ。

それよりも知識や技術はそうそう無くても、全人間的にすぐれた人の方がいい。それを作るのは家庭だから家庭を大事に思おう、という人が日本では七十四％を占めるという次第である。

塾というものはそれを役割としてきた。だから「大波小波」の提言者は塾を作れというし、事実、特定の塾を作って政治家をそだてる試みもすでにある。

しかしそうそう塾もできないのであれば（中西塾は月収十万なのだから）、既存の学校で塾同様の全人間的な教育をおこなうしかない。要するに学校に家庭教育をもっと持ちこめということだ。それができれば、七十四％の人が学校を支持する勘定である。

制度が殺したリズム

それでは塾にあって今の学校にないもの、家庭で分担できると人びとが考える教育の部分、かりに私が全人間的教育といったものは、もっとつきつめていえば何なのだろう。

結論を先にいうと、現在の学校が潰してしまっているものは身体のリズムではないかと思う。身体のリズムを大切にした教育こそ、現代日本（そして近代の欧米も）の教育が忘れているのではないか。

当今、学校は何よりも「制度」として存在する。教育は義務として納税の義務と並んでいる。

義務ときくと体がうきうきしてきて、リズミカルになる人はいるか。明治の亡霊のような「義務」の考えは、今や忘れた方がいい。

段階学習のステップがきちんと定められているから安心していられると思うのは錯覚で、一律主義についていけずに苦しむ子、いつも退屈な子がいる。ボタンのかけ違いのように学校生活をすごす子が出るのは目に見えている。

集団登校から一斉授業、カリキュラム、単元、制服、何と整然としていて美しいことか。

しかし家庭での両親は子を一人ひとり全部ちがう者として、それぞれ上手にそだててやろうと思っている。親子が制度であるはずはない。それぞれの子がそれぞれの道を歩んで、それぞれ優劣なく人生の幸せをつかんでほしいと思うのがすべての親であろう。

この子そだては、子が個別にもつ身体のリズムをうまく生かしながら、リズムをより大きく、より快く、よりたしかで力強いものにしようとしているのだと思う。それを今までやってきたのが、やはり塾だった。適塾だけではない。農村の子を入学させた岡山の閑谷《しずたに》学校も、ことさらに農村の子を入れるところにリズム観が見てとれる。

塾――どうやら今人気の学習塾に伝統が生きているらしいが、そこでは自由と徹底という二点がキーワードのように見えるのだが、どうであろう。

適塾だって福沢諭吉の『福翁自伝』をみると、塾生一人ひとりに強烈な個性があり、それが尊重されている。しかし個性はいささかも甘やかされてはいない。今はとかく「彼は彼だから」とか「そう強制はできない世の中です」とかと容認されてしまうが、甘やかしと尊重は別である。つまり個性を尊重すれば個別的に徹底した教育ができる。

この個別的徹底を制度や規則にかえてしまったのが今の学校である。そもそもわれわれは学校や塾で学習するのだが、学は「まなぶ」こと、習は「ならう」ことだ。「まなぶ」とは真似ることで、個々人が目標の真似をすることが要求された。何が真似なのかは個人の判断だから、真似は千差万別に存在する。それでいて個人の理解によるのだから、主体が大きく関係してくる。

「ならう」とは馴れることだ。くり返しくり返し教えを反復して、教えに習熟し、それを個々人が身につけることが「ならう」である。

このように個別の関与を強く認めつつ、しかも徹底的に真似し反復することを日本人は塾学習の第一歩としてきた。

何よりも勉強する側の内発性が必要だったのである。自由さも徹底ぶりも内発性の誘い出しを意味する。建前や見せかけでは実をむすばない。

つまりは、外から働きかけて身体のリズムをととのえ、いのちをリズミカルにする訓練が教育なのだろう。

よく知育と体育といって、知識をあたえることと体を鍛えることとを対立的に考えるが、むしろ知育とは体育なのだという大条件があると私は考える。

反対に体を鍛えるといってムチを振るっていては、生徒や子どもはビクビクして精神失調症になってしまう。リズムどころの話ではないから体育は無理である。

昔の塾がもっていた精神は、生命のリズムの誘発だった。現代学校制度の見せかけの整備が、それをなくしてしまったのである。

きそう

競技とはお互いの成長を目指すものだ

張り手は許されない

さる九月（二〇〇〇年）の大相撲秋場所九日目に旭鷲山が玉春日に対して、二十数発の張り手をくり出した。テレビで見ていてもはらはらしたが、はたせるかな、翌日の朝日新聞はこのことを大きくとり上げて「(投書の）厳しい声が、また届くであろう」と報じた。「感情にまかせた殴りかかり、としか受け取れない」張り手で、「後味は悪い」と記者はいう。

私もまったく同感である。そもそも、ボクシングやレスリングなどの他の格闘技にくらべると、相撲はまったく戦い方が別である。少なくとも現在にいたって完成されたルールは規範の美しさに満ちている。

要するに相手を殺傷する術をすべて禁じている。相撲は拳術ではない。だから拳をもって相手を殴ったり、打ったりはしない。足を払うことはあっても、蹴り上げることはしない。だから先の新聞記事のように殴りかかる行為は、明らかに非相撲的である。

いわゆる張り手は顔を攻撃するが、張り手以外、顔を攻撃するのは、いさぎよしとしない。のど輪、上突っ張りいずれもきわどいが、ボクシングのようにあえて顔を狙い、目じりを切るといったことはない。

相手を倒すとなれば、拳をにぎるにこしたことはない。それでいちばん相手の弱いところをどーんと突いてしまえば、相手はたちまち倒れてしまうだろう。相撲はボクシングのようなカウントがいらないのだから、もう即座に勝負がついて、こんなに手っ取り早いことはない。

しかしこうした簡単な必殺技をすべて禁じた、だからこそ力と技をきそい合うことができる競技が相撲である。

猛烈な突っ張りは胸板に向かってならよいが、顔はいけない。なぜなら胸には厚く筋肉がつけられるが、顔にはそうそう筋肉がつけられない。だから顔をうてばたちまち勝負がつく。そんな弱いところを攻撃するのは相撲のプライドが許さない。

これは力自慢同士が戦う時の、何と潔癖なルールではないか。正々堂々と戦え。相手の弱点ばかりをこそこそとつつくな。そういう考え方である。

テニスを見ていると、少しずつ相手の位置を一方に誘っておいて、その手薄なところにどっと打ち込む。その誘いの巧みさが勝者のようにさえ思えて、私など見ていて、あまり愉快ではない。

いや、そんな甘いことをいっていてどうするか。企業など、いつも相手の隙をうかがい、そこにつけ込んで勝つのだ！　という声も聞こえてきそうだが、企業は企業のルールで戦えばよい。スポーツ、競技はそれなりのフェアさが、命である。

だから相撲の張り手は、相撲の精神にまったく反すると思うのだ。そこで投書もどっとくるのだろう。少なくとも心技体をそなえた横綱がやれば、たちどころに引退させる方がいい。張り手を二十数回くり出すなど、相撲といえない。

日本が国技として誇る理由も、このフェアな戦い方にある。その相撲の規範まで失われてしまい、世の中ボクシングやプロレスリングばかりになってしまったら、いかにも情けない。

晴れがましい力と技の競技

とにかく伝統を守るから相撲はいろいろと特殊である。

力士は土俵に上がると力水をつけてもらう。力水といいながら、水を飲むのではない。口をすすぐのである。要するに清めである。神社に参詣する時と同じだ。だから塩をまくのもひとしい。これも清めの塩である。戦いの場を清浄なものとし、その中で戦うという考えである。

力士は四股《しこ》を踏み、両手を広げる。四股は醜《しこ》だという説もあり、その考えによると力の誇示となる。手の内を見せるのは武器がないことを示すとされるが、一方、手をひらひらとさせる仕草は神代以来の舞いの形式だという説もある。力士の足の運び（すり足）が舞踊の形式だし、そもそも「すもう」とは「素舞う」、ひとりで神さまにささげる舞いをしたのが相撲の起源だという説もある。

しかし「すもう」とは組み合って格闘することだという考えもある。それでこそ相撲らしい。

先ごろ（一九九九年十一月）引退した舞の海という力士がいて、彼は取り組む前に離れて飛びこむチャンスをうかがうことがよくあった。手足がからんでも奇襲攻撃をよくしかけた。

じつはこれは「すもう」ではない。むずと取り組んで、力学的に倒す技にこそ、人びとは大歓声をあげるのである。

この堂々たる対決こそが美しい。以前（三八ページ）、恋愛のバランス感覚について述べたが、相撲でも行司は「見合って、見合って」とかけ声をかける。「バランスをとれとれ」というのはなにか妙だが、これも真正面からの取り組みの勧めである。

行司の役割もおもしろいではないか。競走には必ずスターターがいて、ピストルを撃てば競技開始となる。競技者は他者の合図から競技を始めるのだが、相撲は二人のみずからの意志によって格闘を開始する。その意志の合致をうながす方法が、「見合い」せよ――均衡をとれ、というかけ声である。

おたがいに力が充実してきて均衡がとれた時にスタートがある。それを自分できめる。ここにも相撲における力の尊重が見られるだろう。

力のぶつかり合いは、あれほどの大男同士、まことにはげしい。だから長く格闘できるものではないし、またすべきでもない。

そこで相撲に要求されるものは瞬発力となる。この凝縮力、緊張感の充足がすばらしい。徒競走なら一〇〇メートル競走にも匹敵するものだろう。

私はじつは相撲とマラソンを観るのが好きだから、人からよくおかしいといわれる。まったく二つは違うではないか、というのである。そのとおり二つは違うが、違うからこそ両方おもしろい。マラソンは人生に似ていて、持続のしかた、力の按配、敵とのかけ引きがある。そこが勉強になる。

反対に相撲は瞬発力がぶつかる。マラソンと対比されるほどに、相撲は瞬発的な力の出合いがすべてであって、小ざかしいかけ引きなど入りこむ余地がないのである。

行司は、この力のぶつかりをうながして、「はっけよい、はっけよい」という。八卦《はっけ》がよい、というのである。八卦とは天地や自然、人間界のすべての現象のことで、また「当たるも八卦当たらぬも八卦」というように、現象の占いも意味する。宇宙の八卦を占ってみたところ、すべてがよい。さあ何の心配もない。この晴れがましい土俵の上で、堂々と戦え、というのが行司のかけ声である。

世は平穏、神さまのおぼしめしもすこぶる上々、そこで相撲も御嘉納になるはずだ。

その中での力くらべは、闘牛のように牛を傷つけたり、古代ローマの奴隷の戦いのように殺し合ったりするものではない。

円形の枠から敵を排除すれば勝ち。あるいは投げ捨てて敵対できなくすれば勝ち。八卦がいい晴れの世界から邪魔なものを排除し無抵抗にすれば、力がまさっていると判定される仕組みである。

そのうえ勝てば、場合によっては賞金があたえられる。それをもらう時には手刀を切る。

この仕草も「心」の字をかくのだと説明される。まことに心にくい説明ではないか。昔から日本人は、たとえば庭の池にも心字池といって「心」の字の形の池を作ってきた。同じものが手刀だというわけだ。

心という字を宙に描いてみせるという感謝の表現は、静かな気高さにみちている。口に出して「ごっつぁんデス」といわれたのではぶちこわしである。会社で賞与をもらう時、手刀を真似てみたら叱られるだろうか。

勝負化したオリンピック

さて以上のような相撲をもういっぺんおさらいしてみると、身を清めてステージに上り、素手で戦う姿勢を見せ合い、力を誇ってステージを踏みしめる。ステージは占いによって晴れがましさが証明された世界である。

力を充実させ合っていって極点に達した時に、当事者同士の意志で戦いを開始する。

開始した後はむずと組んで堂々と戦い、相手を排除するだけで殺傷しない。その結果、勝者は恩寵に対して「心」の字を書いて感謝をあらわす。

以前、将棋についておもしろいことを聞いた。全日空の副社長をつとめられたIさんは大の将棋好きだが、世界的にひろがる同種の遊びで、とった駒をもう一度使うのは日本の将棋だけだ。これこそ農作物を収穫して種を播く農作民のサイクル生命観ではないか、と氏は言う。

もしこれが当たっているなら、殺傷しない相撲の精神も、同じものと考えることができる。

要するに、相撲は格闘技だのに、徹底的に力をきそい合い、技を争うもので、相手を打ち負かすところに眼目はない、ということだ。相手の生命を奪うとか、相手をいためつけて勝利を誇るとかして勝ち負けを決めるのではなくて、その時その時の力と技の優劣をきそうのが主眼なのだ。

「きそう」という日本語は力をせり合うという意味で、勝負することとは根本的に違う。トーナメントは一つひとつ勝負をきめていく方法だが、リーグ戦は全体として力の優劣をきめる、「きそう」方法である。前者はいっぺん負ければ、もう死に体だが、後者は最後まで生きていて、優劣に参加する。相撲は十五日間のリーグ戦だ。

じつは相手と競争することの効果はいくつも挙げられている。植物の枝葉は相手があることでよく育つという。以前、私の口をのぞき込んだ歯医者は親しらずを見ながら「こりゃ上の歯があるから伸びるだろうなあ」といった。

競合してお互いに成長するのだという。

それでこそよく理解できることばを、読者は思い出すだろう。近代オリンピックの創始者クーベルタン男爵は「オリンピックは参加することに意義がある」といった。

参加しきそい合うことでお互いが成長するからである。

ところが近年のオリンピックはどうか。今年（二〇〇〇年）も先ごろシドニーで行われたが、そこではメダルばかりに関心があったではないか。この関心は勝負への関心であって、競技への関心ではない。

オリンピックにはたくさんの競技が行われるが、格闘技や球技など、とかく勝負を争うと見られがちなものもある。これも相撲と同じで力と技をきそうはずのものだが、今やすべてが勝負と化し、勝った負けたといい、メダルの数を気にする。間違っている。

ましてや国家が基準になるいわれはまったくないのに、選手は国家という重荷を背負わされて出場し、国旗が掲がり、国別にメダルがカウントされるのは何の理由もないことだ。

きそうことでお互いが成長する。だからオリンピックは意義があるといった初心にもどる必要があろう。

その点、相撲を日本人はいつまでも持ちつづけて、忘れ物としてはいけない。だから、勝てばいいのだからとばかり二十数回も張り手をくり返す力士は、本質をはき違えている。張り手にかぎらず、「すもう」でない相撲をいさめるべきであろう。

おそらく相撲の本質までまぎらわしくなったのは、他の競技が勝負にばかりこだわるようになった、近年の傾向によるのであろう。

世界中の現代人が忘れ物をしたからといって、相撲の本質まで日本人が忘れてしまってはならない。

よみかき

おもしろい漢字のパスル

日常語は外国語にかえられない

二〇〇〇年一月、二十一世紀懇談会が出した首相への答申が、話題をよんだ。いろいろ斬新な内容があるが、とくに英語を公用語にせよという提案がみんなの関心をひいた。

その反応のあれこれをみていると、すでに社内の会議はすべて英語というところもあるらしい。外資系の会社などはとうぜんだろう。国際会議も、ずいぶん昔から公用語を英語と指定するところは多い。

もっとも、そう決めるとフランス人はそっぽを向くという話も聞いたし、げんにヨーロッパでは、英語を公用語とする総会のほかに、とくに「ドイツ語圏学会」をつくり、それだけで年次大会をやる学会もある。

なかなか簡単にはいかないが、公用語問題から国語問題へと進むと、問題はもっとたいへんである。かつて文部大臣の森有礼が、英語を国語にしようといって物議をかもした。近くは作家の志賀直哉が国語は日本語よりフランス語の方がよいといって、人びとを驚かせた。いずれも、今日そうなっていないところをみると、国語をかえることはむずかしいようだ。

シンガポールは英語を国語としたが、このばあいも、共通語としての国語を意味するのだろう。アメリカもフロリダあたりではまだ英語だけを共通語にすることに反対する人たちがいる。スイスのように複数の言語を認める方が、自然というわけだ。

いや、いままで国語、国語といってきたが、国のことばを「国語」というふうにくくることにも問題がある。学校の教科で「国語」があるのは、日本と韓国だけではないだろうか。ほかではそれぞれ中国語とか英語とかという。だから「国語」には帝国主義的なにおいすら感じられて、非難されたことがある。その本の著者が韓国人だったことに、問題の大きさもある。

それほどに日本人にとっては、日本語が国語とほとんど同じであり、日本人が生まれて以来話してきたことばである。いわゆるネイティブ・ランゲージだ。

それでいて日本語が国語であるという、日本人には自明のことが、必ずしも世界に共通ではない。そこに日本人のことばの厄介さがある。

だから会合の共通語は英語でもフランス語でもよいとして、日常語を英語やフランス語にすることは、まずは不可能だろう。いや日本ばかりではない。どこの人間でもネイティブのことばを外国語にかえることはできない。

ずいぶん前だが、当用漢字が発表されたとき、ひとりのドイツ人が私に言ったことがある。

「日本人はこんなに漢字を制限し、いったいものが考えられるのですか」と。その鋭い口調をいまでも思い出す。なるほど、世間には「言いかえ」という習慣があって、むずかしい漢字を書かなければならないときは、当用漢字が使える表現にかえるのである。また「書きかえ」も広く行われていて、むずかしい漢字を発音のひとしい別の字におきかえるのである。「反撥する」と書けないから「反発する」と書くたぐいだ。

なるほどこうなると、もう言いたかったことと、書きあらわした表現とはちがっている。あれほどぼう大な文字遺産を残してきた日本人は、現代にいたってとたんに思考を痩せさせ、貧困な思想しか残せなくなった。そこで「あなた方はそれでいいのか」と、ドイツ人からお叱りをうけたのである。

文字に制約されて表現をかえるとなると、もうもとの表現をしなくなるから、問題は文字だけではなく、表現そのものにも及ぶ。微妙な言いまわし、ニュアンスに富んだことば遣い、そんなものがどんどん消えていって、百人が百人、同じことばを口にし、国民全体がことばの活力を喪って暗い団塊になって闇に沈んでいく。日本を愛するドイツ人は、それを心配してくれるのである。

漢字は哲学である

さて話が漢字になった。漢字を問題としよう。

漢字はたしかにむずかしい。そこで言いかえもするし書きかえもしたうえで、さらにできるだけ漢字を使わず、かなで書く方がわかってもらえる。近ごろの書物はどんどんかながふえている。なくなったいまも人気が高い司馬遼太郎さんの本が読みやすいのは、明解な論説もさることながら、表現のやさしさにも理由がある。

そうした本づくりをした司馬さんは、ほんとうに漢字の効用を知っていたのだろう。司馬さんは、ずばり、こんなことを言う。漢字は意味をもっている。だから見ただけで内容がわかる。そこで、漢字をもった中国がどんどん周辺の地域に支配圏を広げ、漢字文明を広めたのだ、と。

英語のアルファベットにしても日本のかなにしても、「a」や「b」、「あ」や「い」だけを見ていたって何のことだかわからない。ところが漢字は一字ずつ意味があるから、それだけでわかる。「司」にしたって、「馬」にしたって、こう私が書いただけで、もう意味をくみとっておられるだろう。それを使って「上司」「下司」というとすぐわかるし、「騎」「駒」と馬の字の組み合わせを作っても、すぐわかる。漢字がむずかしいときめる前に、もう一度漢字の効用を考えるべきであろう。とにかく中国は漢字をもって一大帝国をつくったのだから。漢字文化圏は、いまだに滅んでいないのだから。

少し具体的に漢字を思い出してみよう。

心の字がついた文字をさがしてみると、心の仲間が集まってくる。

憂　愁　慶　愛　患　悪　怒……

こんなものが、みんな心の作用だと考えていたことがわかる。「うれい」も「よろこび」もみんな心のなかでおこることだというのはいわれなくてもわかるが、愛することとは、心の働きである。愛用品とはよく使う品物ではなくて、愛して使っていなければならない。

いや、それもとりたてていうことではないが、「患者」とは病気自身が問題ではない。心に苦しみをもっている人のことだ。病気で大切なのは、まず心である。心をなおす人でなければりっぱな医者ではない。

「悪人」もそうだ。悪事を働いた人が悪人ではなく、悪事の根本は、まずその人の心にある。心のわるい人が悪事を働く、そう主張するのが漢字の「悪」である。

われわれの感情を喜怒哀楽と並べるが、「喜」も「哀」もよろこんだり悲しんだりする動作をさす。「楽」も台の上に楽器を置いた形で、音楽を聞くとたのしくなるから、たのしいという意味が生じた。そうなると心の状態は「怒」だけで、「いかり」は凡人の基本の感情らしい。だから「いかり」を示す漢字は「忿」とか「恚」とかと、たくさんある。「かなしみ」も別に「悲」があるから、こちらが心の情態である。悲しいのか哀しいのか、よく区別して使いたい。

漢字で、価値あるものは、おおく羊を書いた。ヒツジが昔のユーラシア大陸で最大の財産だったからである。

「美」など羊で大きいのだから、これほど上等なものはない。それが日本語の「うつくしい」に当たる。

「義」は以前（二五ページ）ふれたことがある。もっとも価値のある人格は道理をつくすところにあるという思想を、この字は語っている（「我」は発音を示すという説もある）。

羊の仲間のことばで私がもっと気に入っているのは「羞」という字で、はずかしいという意味に使う。羞恥心などというだろう。物にはじることに大きな価値をおいたから羊を書いた。しかし、現代は羞恥心など無縁の人間ばかりが、身辺に目立つではないか。

反対に悪いものの代表がイヌである。これを「犭」であらわす。「狂」「狡」「犯」「狎」どれをとっても、印象が悪い。狂っていたり、狡《ずる》かったり、犯人だったり狎《な》れなれしかったり。

いまは「独」と書くが本来は「獨」という字、これは孤独などと使うが、もともと犬が集まる様子で、犬は集まるとすぐ喧嘩してかみ合う。そのかみ合うという字だから、ばらばらで争う集団が「独」である。これもよくない。反対にいい集団が

「群」。みなさんの企業は「群」か「独」か。
以上はほんの一例だが、これだけ見ても漢字が思想をあらわすことがよくわかる。
漢字を忘れると、哲学を放棄することになる。

漢字のパズルを解こう

しかし何といっても漢字はややこしい。小学生のころの漢字テストが苦手だったという人も多い。

そこで漢字を簡略にすることが、中国でも古くから行われた。「花」というのは「華」の略字で、「か」という発音が「華」と同じだから「化」にかえた。「竊《せつ》」もむずかしいから「窃《せつ》」にした（それから窃盗が簡単になったわけではない）。「塩」も本来は「鹽」だが、面倒なのでもう八〇〇年も前から「塩」になった。「オレに何でも聞け」といばった男に「シオは何偏ですか」と聞いたら「土偏だ」と答えたという笑い話が「徒然草《つれづれぐさ》」（二三六段）にある。正しくは鹵《ろ》偏である。

漢字の簡略化はいま当の中国でいちばんひどい。右にあげた華は花どころか华となっている。中华そばがラーメンとは、ぴんとこない。この簡略化をさらに進めたのが、いまの日本の言いかえ、書きかえ、さらには、かな書きである。さっき私は「ぼう大」と書いて「厖大」を遠慮した。そのたぐいである。

私も、やたらにむずかしい漢字を書くのには反対である。しかし簡略にするルールに、大いに疑問がある。

まず、何でもいいからむずかしい字をやさしくするのは間違いである。むずかしい字はそれに見合う内容がある。ハナはりっぱに咲いてこそ「華」なのである。「化十」ではすこしもハナが咲いていない。「憂うつ」と書くが「憂鬱」と書いてこそ「うつ」の内容がともなう。なかなか書けないからこそ憂鬱なのだ。

優良可という成績だって、順次、字が簡単になる。それでこそ優良可である。

したがって、使う頻度の高い漢字は、どんなに手間がかかる字でも、常用漢字に指定して意味が生きる字を書け、といいたい。

シオを鹽と書いても、自然にできるシオが「鹵」で、人工のシオが、鹵と監を組み合わせた鹽だとはだれも知らないから、シオは塩でいい。

また、いい加減な省略もいけない。「臭」は鼻と犬とを合わせた「臭」が正しいが、いまは「臭」になっている。犬の鼻でこそにおいはかげるのだから、「臭」ではとてもおかしい。

漢字はパズルである。読み解く楽しみが無限にある。それを教えたら、どんなに小さい子でも興味をもつ。以前チェコの子どもに「鳥はトリ、山はヤマ、ふたつをいっしょにするとシマだ」と教えたら大よろこびしたと、チェコの先生が語ってくれた。私がすでにあげた字だって、「優」つまり人間が憂いをもつと優れているとなると、内容の深さに感動するだろう。

心のつく字をあげたが、「怠」と書けば、なまけることになる一方、心を横へもっていって「怡」と書けば、たのしいという意味になる。なるほど、仕事を怠けて、この文章を読んでいると、怡しいではないか（?）

やたらに字を簡単にすると、内容がわからなくなるからかえって覚えにくくて漢字ばなれをおこす。学校と書いたって何だかわからないが、「學」の上の部分は両手をあげて物を包む形である。

そうしてこそ教えを受けとめることができる。下の部分は屋根の下にいる子ども。まさに学舎の中で子どもがまなんでいるのである。

漢字を手放すと大きなアジアの哲学を失うことになる。もっともっと漢字を大切にし、身近なものにすることが、いま必要だと私は考える。

むすび

「結び」の関係から見えてくる日本人の自然観

カミナリが稲とセックスする

夏はカミナリの季節だ。一天にわかにかき曇って世界がうす暗くなり、風が吹いてきたかと思うとざーっと雨が降りだす。頭の上でカミナリがゴロゴロとなり、イナズマがおそろしく天空をはしる。

いかにも夏だという実感があって、これもまたおもしろい。

ところで、あのピカピカとひらめく光をなぜイナズマというのか、考えたことがあるだろうか。現代人は、あたりまえの名前として、無意識に使っているにちがいない。

じつはイナズマとは「稲の妻」という意味だ。前にも述べたように（三〇ページ）、ツマという日本語は相手という意味だから、夫も妻もツマといった。今日、刺身にそえる大根を「刺身のツマ」という、あれだ。だからあの光は稲の相手で、稲の夫だと考えられたから、イナズマとよばれた。

つまりカミナリさまの光は稲を妊娠させる夫だったのである。カミナリが稲をみごもらせる?——そんなバカな、という人もあるだろうが、じつは最近、落雷したところに生えたキノコの発育のいいことが注目され、光による窒素をもちいたキノコ栽培が注目されるようになった。

やはり、カミナリさまは稲をよくみのらせるから、稲の夫なのである。イナズマという日本語は、りっぱに科学的に証明されるものであった。

イナズマということばはいまから一一〇〇年ぐらい前に使われはじめたらしいが、じつはその前はイナズマといわず、イナツルビといった。稲交《いなつるび》。そのものずばりで、あの光は稲がセックスするものと考えられていた。突然、空一面が曇り、カミナリが音をたてはじめるのは、天の神さまの性交のおごそかな前ぶれである。やがて性の力が鋭光となってほとばしり、地上の稲に降りそそぐ。かくして稲の女神は身重となる。

いかにもロマンチックな物語だが、一方きわめて自然科学的な認識だった。

植物のエキスがしみる

同じような自然科学的な認識はほかにもある。近ごろ森林浴とよばれて、森林を歩くときの具体的な効果が注目されているが、古代人はじっさいに木の枝や草を折っては髪にさした。これが「かんざし」の元祖だ。「髪さし」から「かざし」ともいわれ、いまは「かんざし」という。

これも木の枝や草から、ほんとうに生命のエキスが体にしみてくると考えられた。いわば森林浴のもっとも具体的なものだ。その効用を忘れてしまったあとは、飾りだとばかり思い込んでいるが、そうではない。八世紀ぐらいまでの日本人は、植物のエキスをもらうことだと、みんな考えていた。

いや、それにしてもほんとうにエキスをもらえるのか。じつはわが家では妻が「青汁ジュース」という青野菜の缶入りジュースに凝っていて、いつも飲まされる。正直なところマズくて目をつぶって一気に飲むが、これもわかりやすいエキスの吸収法だ。

もうひとつ、わが家の近くに筍ばかり食べさせる筍亭という料亭があって、そこへいくと竹筒の湯豆腐を食べさせる。火で焼かれると竹からはジューと汁が出る。それを受けて飲むとガンにきくという。何しろ猛々《たけだけ》しいから竹である。竹のみごとな生長ぶり。そのエキスだからガンも負けるだろう。

カナダへいくとメイプルジュースを売っている。ロシアには白樺ジュースがある。いまはみんな清涼飲料程度に思っているが、そもそもは健康のためのものだった。それぞれの民族の英知が、いろいろなエキスの健康法を長い歴史の間につくりだしたのである。白樺ジュースは、そもそもクマが山中で白樺の幹を傷つけて飲んでいたことから思いついたものだ。

しかし、飲むのはわかるが、髪にさしたからといって効果があるのか、という疑問があるかもしれない。たしかに内服薬がいちばんききめがありそうだが、薬は外用したっていい。塗布薬もある。みずみずしい植物の茎でもさせば、即効性があるだろう。

ヨモギはユーラシア大陸の全域で繁殖力のおう盛な植物と考えられてきた。この草のラテン語の名前はアルテミシアという。大地母神・アルテミスの象徴とされたからだ。

だから日本でも草餅としてヨモギが使われているが、どこかの会社からヨモギエキスのヘアトニック「アルテミシア」でも売りださないものか。毛根によくすり込んでおけば健康まちがいない。

毛というのは、なにしろ呼吸がとまった後ものびる。爪もそうだが、そこへさすのだから、かんざしの効果は抜群だったのである。

土佐の高知のはりまや橋のお坊さまだって、長生きする権利がある。毛はなくても、せめてかんざしでも買おうと思った（と理解しておこう）。

もうひとつ、似たことばに「かつら」がある。これも今日では人工の髪をいうように変わっているが、そもそもは「かみつら」といって、髪にぐるぐる巻きつけた植物のことであった。ヤナギなどがいちばん巻きつけやすかっただろう。じじつ、春先に青々としたヤナギを巻いた例は、たくさん書物にでてくる。

だからこれも、植物の生命を体にしみ込ませるためのものだった。古代ギリシャの勝利者は月桂冠をあたえられた。月桂樹をかつらとするのである。

古代ギリシャでは月桂樹が太陽の神・アポロンの霊木だったから、それを頭に巻くのは、太陽の霊気を体にしみ込ませる栄誉と特権があたえられたことを意味した。

日本でも、あの天のウズメが天の岩屋の前でおどったとき、マサキのカズラといううつる草をかつらにしたという。いま、テイカカズラとよぶ草である。

そもそもつる草をカズラとよぶのもおもしろい。かつらにしやすかったから、いつか名前になったのだろうが、そもそもはつる草が大切な草だったから、かつらとしたのだった。

つる草はどこまでものびる。そこに生命の永遠を古代人は感じた。大きな風呂敷に描かれる「ぶどうから草」をよく見かけるだろう。むかし東京ぼん太という芸人が、あの模様をトレードマークにしていたが、これこそ次々とのびてやまないつる草のデザインで、永遠をあらわすものと考えられた。

つる草模様は古代ギリシャから海を渡ってきたデザインで、一方、日本にもつる草を永遠の生命をもつ草とし、かつらにする習慣があったのである。

このかつらにしろ、さっきのかざし（かんざし）にしろ、いまはもう飾りとしか思われていない。むかしは生命力をあたえてもらうためのものだったなどと、デパートの売り手も買い手も考えてはいないだろう。ともどもにどんなに美しく飾れればよいかだけが問題である。

もちろん、それでもいい。「いやいやちがうんですよ。このかつらからどんな生命をもらうかを考えて、買ってください」などと、私は言いたいのではない。

しかし生命力を分かちあたえてもらいたいという願いや祈りが、かんざしをさし、かつらをつけるそもそもの出発点だったということを、忘れていてよいだろうか。かんざしをさすことで自分が美しくなったと思い、その誇りが実際に自分を美しくすることは間違いない。美しい私、と思うことから湧いてくる活発さ、その生命力こそが貴い。

かつらはもっとそうではないか。自己変身はこの方が大きい。ヨーロッパでもかつらはエジプト以来、延々とつづいた。かつらをつけると、うっかりすると他人が見まちがえるかもしれない。自己変身をしたいと思うこと自体が生命力のひとつである。

ましてや、本来のかんざしやかつらには具体的な、自然科学的な効果があったのだから、いかにプラスチック製のかんざしでも、デザインに植物でもあれば、その生命をもらうのだと考えることは、どれほど人間を勇気づけるだろう。

無機質なプラスチックだと考えるか、デザインから本物の植物までさかのぼって考えるか、どちらでも自由だ。どちらを選ぶのが、人間かしこいのだろう。

さらに、本物の植物なら、実際的な生命力がもらえる。野で見かけた雑草の花、さりげなく咲いている山道の花をそっと折って、大切な人の胸にでもさしてあげる心が、日本人の、伝統的に尊重してきたものなのである。

人間と自然を「むすぶ」関係

これまであげてきたイナズマにしても、かざし、かつらにしても、古代人の自然を見る目がいかに自然だったかを教えてくれるだろう。イナズマがあたれば稲がみのる。植物を髪にさしたり巻いたりしたら、その生命がしみてくる。これ以上に単純でもっともな話はない。

だのに、なぜ現代人はそう思わないのだろう。

最大の原因は、人間と自然を切り離してしまったところにある。そもそも日本人が天地万物の存在を「自然」と広くよぶようになってから、まだ二〇〇年もたっていない。それまでは「自然」といえば、ジネンと発音して「自然にそうなる」といった意味であった。だから二〇〇年前まで天地万物は人間と対立していなかったのである。

いわゆる、天地万物は命名されていなかったという意見さえある。そうした状態では人間も「自然」の一部であり、もろもろの自然物と生命をかわし合う生き物であった。

カミナリさまも結婚すれば人間も結婚する。樹木が酸素を出し、緑陰をつくり、自然な生態系を構築してどんな生息物もうけ入れているように、人間もまたそのなかで草木と生命を交換しながら生きてきた。

人間サマといったって、まさにそれだけのことだ。

しかしそれ以上に尊厳な関係は、あるだろうか。

日本人は純粋で、しかし尊厳な関係を自然と「むす」んできた。

「むすぶ」とは「むす」に「ぶ」がついたことばだから、中心は「むす」にある。国歌論議にさらされている「君が代」に「苔のむすまで」とあり、コケが生えることを「むす」という。ところが人間の子も「むすこ」「むすめ」というから、人間とコケは変わらない。人間、コケにされてもおこってはいけない。

だから「むすぶ」の基本の意味は生命を誕生させることだ。すると男女が結ばれて子どもが生まれるのが、よくわかる。「むすぶ」のいちばん古い、本質的な使い方が「男女が結ばれる」だっただろう。

「結ぶ」といえばひもなどをしっかりしばりつけることかとばかり思っていたら、そうではない。しっかりしばりつけられる両者は、そこに新しい生命を誕生させると考えたのが日本人だった。

むかしの日本人は、男女が別れるときおたがいに下紐を結びあった。ふたりの、ともどもに一つになった生命を誕生させることで、別れているふたりが一つになると考えたからだ。

いまならさしずめ、奥さんが旦那さんのネクタイをしめてあげてはどうだろう。そうする人はすくないが、だれでも神社へ行っておみくじを引くと、必ず神木の枝に結びつけて帰る。捨ててはバチがあたる。これも、どんな運命のお告げがあったにしろ、きちんと結んで「新しい運命をください」とお祈りをしたなごりである。プレゼントにはリボンで華やかな結び目をつける。むかしはこれを「鬼の目」といったが、鬼ほどに強い力が結び目に誕生して、相手を祝福すると考えたなごりである。

こうした「結び」の関係を、日本人は人間と自然との間にも考えてきた。つねに新しい生命を誕生させる関係が、人間と自然との間だと信じていたのに、さてそのことは、現代社会の自然破壊を見ると、まるでウソのような話ではないか。

いのち

肉体のおわりは生命のおわりではない

死ぬと神さまになる

ふつう、お祝いごとのときは赤と白の幕を張る。反対にお葬式の幕は黒と白である。間違えて入学式に黒白の幕でも張ったら大騒動だろう。それこそ国旗を立てるどころの騒ぎではあるまい。また葬儀屋さんが赤白の幕を張ることはないはずだ。ところがある。神道のお葬式では赤と白の幕を張ることがある。それだけではない。祭壇の中央には遺影の前に生きのいい大鯛がそなえられ山海の珍味がどっさりとおかれる。大根、ニンジン、イモ、ネギ、またスルメ、魚の干物などなど。

神主はそれらを前にして、ノリトの口調で死者をしのぶ。独特の節まわしはあっても、お坊さんがとなえるお経のように、さっぱり意味がわからないのとは違う。

だからしみじみとし、おごそかだから、こちらの気持ちはつつましくなる。

わたしはそうしたお葬式で父も母もあの世へ送った。その間、すこしも心にかげりがなかった。激痛をおぼえたのは、火葬のかまのなかから真赤な骨が出てきたときであった。

いや、いまわたしは神道という特定の宗教をほめようとしているのではない。またふうがわりな宗教だなどと、言おうとしているのでもない。このような葬式に、むかしからの日本人の考え方が反映していることを、言いたいのである。

そもそもお葬式に黒と白の幕を張るようになったのはいつごろからだろう。はっきりとはわからないが、出家して墨《すみ》染めの着物をきるのは、もう一〇〇〇年以上前からである。とかく死を黒のイメージでつつむことは、日本では仏教によってはじまったようだ。

いまの喪服は黒が中心だが、日本ではずいぶん長い間、白であった。むかしは喪服といわず「浄衣」といった。清潔な着物をきて死者を送ろうというわけで、白こそが清潔でいちばん死者を送るのにふさわしい色だと考えたのである。

わたしたちはむかし戦地へいく兵隊さんを見送る女性たちが、洗い立てのかっぽう着をきて旗をふっていたのを覚えている。これも大切な折に着る「浄衣」の一種であった。

だからお葬式に白い着物をきる地方は、いまでも日本に残っているし、つい明治のころまで、水色の喪服が多かったという。

それがいまは、みごとに黒い喪服となった。仏教が統一的ファッションをつくったのである。

ただ、おもしろいことに、キリスト教世界でも喪服は黒が多い。やはり現代人にとっては、死がいちばん悲しいことで、死の絶望には黒がもっともふさわしいのだろう。

先年（一九九九年）フセイン国王の葬儀に集まった人の喪服が話題になった。アメリカのクリントン前大統領も濃紺のスーツだった。クリントンはフセインが死んでも絶望なんかしなかったという冗談もいえそうだが、とかく規制緩和（?）の世の中、古い宗教のシバリから、みんなが少しずつ自由になってきたのである。

だからいまは、死や生について考えなおす絶好のチャンスだ。

神道のお葬式も、仏教やキリスト教の黒いファシズム以前のものにちがいない。

よく考えてみると生きることと死ぬことをめぐる今日の考えかたは、むかしの考えとよほどちがっている。

とにかくこの世はよごれやけがれにみちている。嫌なことばかりある。そんな世俗の中に生きているのが人間である。

ところが死ぬと、すべては清められ、よごれが払われて神聖な世界に生きることになる。つまりは神さまになる。死ぬことは、世俗の人間世界から神聖な神さまの世界に入ることだと古代人は考えたのである。

じつは同じような考えは日本だけでなく世界的に存在した。古代北欧の英雄ボータンは木にぶらさがって神さまとなったという。ぶらさがるというのは、犠牲を神さまにささげたなごりである。少し理屈がむずかしいが、犠牲になることは神がみの世界に生まれかわることだと、古代人は考えたのである。

たとえばアイヌの熊祭りも熊を殺して神の世界に送りとどける。それが熊にとっても幸福であり、神もまた熊の犠牲をよろこんだ。

おそらく「いけにえ」（生かしたままの捧げ物）ということばも、生きてそのまま神の世界に生まれかわると考えたことに由来するだろう。

それと同じで、人間も死ぬと神さまになった。だから神道では仏教のように特別の戒名をつけない。名前の下に「の命」とつける。スサノオの命、月読《つくよみ》の命と同格である。

神さまになるのだから、死はむしろおめでたい。何も悲しむ必要はない。赤白の幕を張りめぐらし、生きた鯛をぴんと尾をはねた姿に飾り、大いに前途を祝福しても、おかしくないだろう。

死のない生はない

だのに、なぜ現代人は死を悲しむのか。理由は生と死をまっこうから対立するものだと考えるところにある。「死んだらおしまいだ」「命あっての物種《ものだね》」などといい、生に絶対の価値をおく。生きているか死んでいるか、人間にはこの二つしかないと考えている。

しかしほんとうにそうだろうか。「生ける屍《しかばね》」というではないか。形は生きているが、中身は死んでいる人間もいる。「人は死して名を残す」という。そのばあい、その人は死後にもなお生きているではないか。

生と死がまっぷたつに生命を切断しているのではない。「生ける屍」は生きながら死んでいるのであり、「名を残す」は死にながら生きているのである。

だから生と死の正しい関係は補完的でおたがいに領域を侵しあっている。

そもそも生まれてきたから死ぬのである。つまり生まれた瞬間に死をすでに抱きかかえていて、生涯のいついかなるときも、生は死を内部に秘めている。頑強な若者は秘めた死のパーセンテージが低く、老人は高いだけにすぎない。

そのように死を秘めたものとして生を考える方が、より完全だろう。おどろくべきことに十四世紀日本が生んだ天才的な思索者、吉田兼好は『徒然草』というエッセーのなかで、満開の花や満月だけが美しいのではないといっている。欠損のあるもの――いくらかの死をかかえた姿こそほんとうの美しさをもつというのである。

あのにぎやかなお祭りも、すべてが終わって散らかっている祭りの後をみてこそ、ほんとうに祭りをみたといえる、という。ドキッとさせるではないか。

一般的にいっても反対のものがあるからそのものがよく理解できる。アジアをみてヨーロッパをみると、それぞれがよくわかる。アジアだけみていると、世の中すべてそうかと思ってしまう。

男女をみくらべて、はじめて男も女も十分理解できる。景気が冷えこんではじめてバブル経済の実体がわかる。

失敗があって成功する。病気をしてみてやっと健康のありがたさがわかる。

みんな同じだ。死を知って生のほんとうの意味がわかる。ヨーロッパにも「死を思え」（メメント・モリ）ということばがあるが、思うだけではなく、むしろ積極的に死を受け入れた生というものを考えるべきだろう。人生はつねに何パーセントかの死をかかえて生きている、と。

死者とは、この死を一〇〇パーセントもって、生きている者のことになる。死のない生はない。こうなると死は突然やってきて生と戦い、生を倒す敵などではない。生ときわめてしたしい身内であり、このやんちゃな借家人は、大あばれしてついに家中を占拠してしまうことがある。

それでも母屋は倒れはしない。そのまま連続して生きているのだから、別に大した出来事ではない。そのまま生きて、むしろ汚れやけがれがなくなって神さまになるのだから、これほどありがたいことはないのである。

心こそが「いのち」

ただ、死ぬと肉体がなくなることは、だれの目にも明らかである。いかに一〇〇パーセントの死をかかえて生きるといってみても、何かそらぞらしい。死ねばおしまい、という方がよほどわかりやすい。

やはり現代人の考え方が正しいのだろうか。「NO」である。つまり本来の日本人が考えた生命と現代人が考える生命とが、根本的にちがう。

現代人は「生きる」といえば肉体をもち、呼吸していること（息をすることが生きることなのだから）と考える。

しかしだれがそう決めたのか。何もきまってはいない。心拍をきき、医者が脈をたしかめ、瞳孔の開き具合などを見て「ご臨終です」というのは、現代医学で肉体のおわりをそうとりきめただけであって、生命のおわりは神さましかわからない。

それでは、日本人本来の生命観はどのようなものか。古代人の生命観は、生物全体に共通するから、つぎのように説明するとわかってもらえるのではないか。

動物が　死《し》ぬ。　やがて（魂が）離《か》れる
植物が　萎《しな》える。　やがて　枯《か》れる

つまり「死ぬ」とは生命を養うみずみずしさがなくなることであり、植物でいえば「萎える」ことである。死にはなはだ近いが、しかしまだ肉体は滅んでいるのではない。

そしてついに枯れるときが植物が実体を失うときであろう。その状態を人間でいえば「離れる」といった。「離れる」とは、魂が肉体から離れることである。魂の離別、それが肉体のおわりだった。逆にいえば、どんなに干からびても魂さえ残っていれば肉体は滅んでいない。

その関係が少しずれて、干からびることが肉体のおわりになった（死ぬこと）のが現代である。

なぜか。いうまでもなく、存在にとって肉体がすべてになったからである。目に見えない魂なんて、信じるのはもはや迷信にすぎなくなった結果だった。

目下の自然科学で霊魂を確実に証明することは、まだできていないといってよいだろう。

しかし現代人といえども、霊魂として生きつづける人間存在を、一度も実感しない人も少ない。「夢枕に立つ」とか「虫の知らせ」とかと、その経験をよぶこともある。

霊魂ということばがピンとこない人には、便宜的に心の働きといってもいい。肉体をもたない死者は心の働きとして生きている、と。

それもあいまいだという人には、死者といえども、残された人の記憶に生きているといいかえてもいい。

この霊魂こそが、じつは古代人の「いのち」だった。だから肉体は滅んでも霊魂は神となって生きつづける。霊魂が消えれば、その人はもうこの世に存在しない。

考えてみれば人間の力には体力と心力との二つしかない。そのうちのどちらかひとつを選べと神さまからいわれると、みなさんはどちらを選ぶか。

十七世紀フランスの哲学者パスカルは「人間は考える葦である」といった。人間は大宇宙にくらべると葦のように弱い存在だが、大宇宙を知っているからである。つまりパスカルは神さまに「心力を選びます」と答えるはずである。そしてみな彼に同意するのではないか。

それなのになぜ現代人は肉体にこだわって肉体の消滅ばかり気にするのか。肉体の若さを賛美し若さを価値とする社会――現代日本社会はもっともその傾向が強いのだが、そんな社会は未熟な社会であり、中国のように老人を尊重する社会は成熟した文化をもつ。

肉体は「いのち」ではない。魂がこもる心こそ「いのち」だという、日本人本来の考えをもう一度とり戻して生きたいものである。

ささげる

生の持続としての自死

自殺者が三万人を超えた

残念なことに、さいきん新聞で自殺者の記事を見ることは、そうめずらしくない。埼玉県の女子大学生のストーカーが北海道で自殺した事件、京都の小学生殺害者が飛び降り自殺をした事件が、記憶に新しい。

いやこうした犯罪者が窮地におちいって自殺するだけではない。三島由紀夫の自衛隊での自殺は大事件となった。二〇〇〇年二月に「文藝春秋」が特集した昭和の最大事件として、私は三島の死を挙げたほどだった。

しかもその数は警察庁によると九八年に、初めて三万人を超えた。この年、三万二八六三人の自殺があったというのである。だれもがすぐ想像するように、交通事故による死者の三倍以上が自殺したことになる。

彼らは、なぜみずから命を絶つのか。妙な言い分だが、私はほんとうの自殺はない、と書いたことがある。自殺者には、何らかの追いつめられた理由がある。そうなると追いつめた事柄が殺したのであって、自分から脳天気に死ぬという人はそうそういない。

だから自殺かどうかは、自分で呼吸を止めるかどうかだけの問題となる。

そこまで考えた上で原因をたずねるべきだが、三万人を超えた年の場合、経済生活問題で自殺したと思われる人は、警察庁の調査では六〇五八人だという。

この数は前年と比べて七十パーセント増えている。このあたりには、たしかに昨今の世相が反映していると考えなければならない。

ただ、不況だから自殺者が多い、景気がいいと少ない、と絶対的に決まっているかというと、そんな単純なものではない。

日本の自殺統計は一八八二年（明治十五年）から集計・公表されているが、今までは平均、十万人あたり約十五人だった。一九〇三年（明治三十六年）にはじめて二〇・六人となり、以後また減りはじめる。

かりに現在の総人口を一億二千万人とすれば、先の三万人という数は右の計算では十万人あたりほぼ二十五人となる。これは一九五五年（昭和三十年）と同じである。

そこで、日本人のことを考えている今、外国の傾向が気になる。そのあたりのことを、モーリス・パンゲの名著『自死の日本史』によってみると、日本人の自殺率はフランスより少し多く、ドイツより少ない、という。自殺が多い国はハンガリー、デンマーク、オーストリアである。

この傾向を読者諸氏はどう考えるだろうか。恐縮ながら、意外ではないだろうか。つまり日本人はよく自殺する、といった通念があったのではないか。

キリスト教は自殺を罪悪と考える。だからあまり自殺しない。反対に日本人は追いつめられるとすぐ自殺する。企業のトップに疑惑が起こると秘書が自殺するというパターンすらある。そういった思い込みが、日本人自身の中にあるのではないか。

しかし、日本人の方がよく自殺すると考えることは、統計上正しくないらしい。正しくないが、現代の日本人は本来の自殺とはちがって、安易に自殺しすぎると思う。かりに数字は似ているにしても、そもそもの日本人の自殺に対する考え方や態度は、欧米人と基本的に違うのではないか。

自殺は「捨身」や「犠牲」だった

現代日本人の自殺は、数字的に欧米と肩を並べている。そして、「経済生活問題」で六〇五八人の人が死ぬ、といった自殺が当今の自殺である。しかしそれは、伝統的な自殺とは別個の自殺をとげているように思える。

もしそれが正しいなら、これはゆゆしき大事である。

そもそも日本人は自殺をどう考えてきたのだろうか。日本語の中に「捨身《しゃしん》」ということばがある。もちろん身を捨てるという意味だが、江戸時代には「捨身」といえば自殺することだった。

十八世紀に近松門左衛門が書いた人形浄瑠璃の傑作「心中天《しんじゅうてん》の網島《あみじま》」では遊女と心中する男が、遊女を殺して自分が死ぬくだりで「捨身の方法も場所もかえて、わが女房への義理を立てたい」という。このような具合だ。

ところが「捨身」といえば、もとは仏教のことばである。有名な話はお釈迦さまが餓えた虎に身をあたえたものだろう。

それからひろく仏道修行のために命をなげだすことを「捨身」といった。日本でも古く八世紀のころに僧や尼たちが体を焼いたり身を捨てたりしたので、当時の法律で禁止している。

「捨身の行《ぎょう》」ということもおこなわれた。もちろん身を捨てるほどの覚悟をもって仏道を修行するのだから、ほんとうには死んでいないが、一種の擬似死をとげる。死んで俗世間からは完全に遠ざかる。

だから俗世の姿をかえて隠者の身となることも「捨身」であった。

ほんとうの仏道修行の僧ではなくて、僧の形をした隠遁者《いんとんしゃ》が日本にはたくさんいる。百人一首の坊主めくりでお坊さんかどうか、いつもけんかになる蝉丸《せみまる》などが、その象徴といっていい。俗世からは死んでいるが、生きている。お坊さんとはいいがたい存在である。

これが捨身者である。

こうしてみると日本人は、古来自殺を仏道の修行と心得ていたことがわかる。体を焼いて仏に捧げるもの、擬似自殺をすることでひたすら仏道に入ることを願うもの、「捨身」という世俗の自殺によって身の清らかさを保とうとするもの、これらが正統の自殺者であった。

また、古く「犠牲」が行われた。もちろんこれは日本よりむしろオリエントに強く見られるように思われるが、日本が例外だったわけではない。

古墳に埋葬される埴輪《はにわ》が犠牲の代わりだという『日本書紀』の記述も、ほんとうのことだろう。橋などを架ける時の人柱の話もあり、つい近ごろまで続いた殉死も、その流れの中にある。

「いけにえ」とは、生かしたまま神に供えるもののことだ。

権力者が嫌がるものを犠牲にする場合もあろうが、本来は捨身と同じで、みずから喜んで、わが身を生きながらにして、神に捧げた。そのことによって、他の多くの者が救われる、と信じたからである。

これを逆にいうと、そもそもわれわれが生きていられるのは、他者の犠牲によってだという思想になる。

そんなことは、言うまでもないだろう。われわれは毎食毎食、他の生命を殺して生きているのだから。

新鮮な野菜が健康にいいとは、犠牲が一番いいということだ。子牛のステーキがおいしい。子牛の皮がしなやかで最上等だ。だから三カ月で殺すために牛の子を生ませる——。何という残酷なことか。

そのためにはせめて、人間はつねづね「他者の死によって生かされている」ことを自覚し、感謝をささげ、それに見合う充実した生活を送らなければ、殺されたものは立つ瀬がない。

しかもその中で、みずから喜んでわが身を殺すものがあるとすれば、それこそ実にすばらしいことであろう。

その喜びに生きた武士の例は多い。自身の死をもって部下の生命の保証を求めた武将は、他者を救う自殺をとげた者である。

死は命を深く愛することだ

武士は切腹を願った。刑として下されるものは斬首、絞首など。そして許されると切腹が可能だった。

なぜ切腹を望んだのか。よくいわれるように、日本人は腹に最大の重点をおいたから、その腹を切ることに意義があった。

ことばを探すと、腹の大事さは、きりがないほどに出てくる。「腹をきめる」「腹を固める」が決意。怒ると「腹にすえかね」、鋭く相手の「腹をえぐり」、よくわかると「腹に落ちる」。「腹を合わせて」協力し、そのためには「腹をわって」話す必要がある。腹がきれいだと「腹に一物なし」というぐあいになる。腹がこれほど大事なら、腹の中をさらけ出して死ぬことが、最後まで面目をほどこす生き方であろう。

疑いをかけられるとは、腹の中で悪事をたくらむと見られたのだから、りっぱに腹の中を見せ、潔白を証明することこそ、汚れた生命を、死によって浄化することになる。

すでに仏道における捨身が自己救済のためのものだといった。犠牲は他者を救うための自死であるといった。それに対していえば、切腹という行為は、その結果によって他者を救うことがあるにせよ、腹を切るという方法そのものの意味において、自己の生命の美しい完結を願うものであった。

いや、だからこそ、このりっぱな死の美学において、仏道に生きることも、他者を救うこともできた、というべきだろう。

ちなみに、先にあげたモーリス・パンゲの『自死の日本史』は、古代ローマの政治家・カトーの自殺から書き始められる。

自殺を決意した彼は剣を腹につき立てる。物音を聞いて駆けつけた家人が傷口を縫い合わせようとすると、カトーはみずから腹わたをつかみ出して死んでいったという。

古代ギリシャやローマと日本が似通うことが多い。その後キリスト教が自殺を禁止したから切腹もなくなり、ハラキリは日本の専売特許となったが、死による生の美学の完成は、あっぱれな普遍性をもって、古代世界に生きていたことが知られる。

さて、こうみてくると、日本人が自殺について抱いてきた基本の認識は、もっぱら、逆説的に生命の方に向いているではないか。

死の重みをもって、いかに生きつらぬいていくか、そう考えたといってもいい。先にあげた「心中天の網島」にしても、いいかげんな死に方をしたら、女房への義理が立たないのである。浮気をして遊女と死んでいながら、何が義理立てだと責める声も聞こえてきそうだが、やむなく心中する中でもなお妻への義理を通すと考えてほしい。

近松の浄瑠璃で心中の段がもっともクライマックスに達するのも、死がいかに美しく生命を完結させるかに、語り手も聞き手も最大の関心を払っていたかの証拠である。

だから自殺は、きわめて意図的で積極的なものであった。

その認識は、いまもなお変わらないのだろうか。今まで話題にしてきた「経済生活問題」による自殺と聞くと、その苦しみに耐えられずに死を選んだと思えてしまう。

もしそうなら、これらの六〇五八人の死は、生からの逃避ではなかったかという疑問すら抱く。

女子大生を殺害した男が逃亡の果てに自殺した。ここに生の美の完結はあるのだろうか。

いきなり小学生を殺し、警官の聴取からたくみに逃げた犯人が、飛び降り自殺をしたという。そこに生きる美学はあるのだろうか。

私には、これらが従来日本人が抱いてきた捨身や犠牲と同じものだとは、とても思えない。

もっと無自覚で、もっと衝動的なものであろう。そもそもが死に先立つ生の重みをもたないから、死は当然のこととして、重量をもちようがない。

深く生命を愛するがゆえに、死をもってみずからを処するという、ほんとうの愛を生命にささげることを、まずわれわれは取り戻すべきではないか。

第3章

暮らし

たべる

自然を生かしたおふくろの味を取り戻そう

非文明の味がよい

以前、色川大吉さんが東京の奥多摩だったかどこかで講演をして、講演料として米一俵をもらった、という話を聞いた。

金額にしてどれぐらいになるか、知らない。しかしだれも換算して安いとか高いとか、言う人はいないだろう。とくに演題が農村問題であればなおのこと、知恵をいただいたお礼がおコメというのは、すこぶる気持ちのいい話だ。

こんな話を思い出してみると、お金は、みごとに抽象的だ。どこでもだれでも使えるほどに無個性、それなりに無表情で人間味がない。お札を眺めているとホノボノといいとしさが湧いてくるという人は、よほどの変人だろう。

それに引きかえて、農村の人のおコメ、漁村の魚などお金に換算した額以上に人間味という付加価値がある。

私も以前地方で講演したとき、謝金のほかにりっぱなゴボウをいただいたことがある。新幹線で運ぶのに苦労したが楽しかった。

辺地の医者は代金がわりに畑のもの海のものをもらうという。

なにか温かみがあるではないか。最近では某村長さんから毎年新鮮野菜をいただく。これも送り先で好評だから恒例になったにちがいない。

そういえば、近ごろは贈答品に「産地直送」というのがあって、人気が高いと聞いた。業者が気をきかして各地の名産をさがし出し、指定する人のところへ送ってくれるのだから、送り主は第三者ながら、名産品を味わえたことで感謝される。

考えてみると、送り主が東京にいて沖縄の産物を北海道の人が味わうというのだから、送り主の生活はまったく付随してはいない。

さきほどあげたような送り主の生活によるホノボノ人間味はないのだから、基本のところで大いに疑問があるかもしれない。

ただ斡旋という人間味しかないのは、あっぱれ現代ふうなのだろうが、それにしても、この際送り主を抹殺してしまえば、産地のものがじかに届くことにはなる。

さてそこで、こんな産地直送や、医療代が大根やさつま芋であること、講演料が米であることのなにが、いいと思わせるのだろう。

極端にいうと、各地の名物が食べられるということだろうか。「名物にうまいものなし」というから、そうでもあるまい。

人間味があるといったが、業者の斡旋なら、その人自身の生活のにおいがないことは、すでにいったとおりだ。

どうも私は、材料そのままを手に入れることが、うれしいのではないかと思う。こころみにスーパーにいってみるといい。食品はきれいに洗われ、根が落とされ、サランラップに包まれて、まるで宝石のごとく棚に並んでいる。土から野菜ができることを都会の子どもは知らないかもしれない。

こうした、十分人工の加わった食物に対して、泥のにおいがする、海の潮気をともなっている産物は、大自然にあったときの、そのままの感触を伝えてくれる。

主食によってアジアを米、ヨーロッパを小麦、そしてアメリカをコーンの文化と区別する考えがある。そう考えると、小麦はパンに加工する。コーンも、むかしはともかくいまはコーンそのものを主食にすることはない。ところが米は、そのまま米として主食にする。加工して餅にすることはあっても、通常の主食ではない。

食材そのままといえば、寿司など米と魚をそのまま組み合わせるだけで、いまや世界中で人気がある。いや料理といったって、ただ握るだけだ。

新鮮さが価値だという味覚は、この直接性をおいて存在しない。コメ文化は、直接そのまま無加工を尊ぶ文化を象徴するものだろう。

そういうと、私は強く非難を受けるかもしれない。

そもそも文明とはいかに人間の手を加えるかにある。ほんらい野蛮な自然を人間が変えて価値あるものにするところに文化がある。フランス料理だって京料理だって、いかに人間の手を加えるかに価値があるのだから、寿司など「江戸前」といって、いなかの野蛮な食べ物なのだ、などなど。

たしかに、「じかに食べる」のがいいという発言は、文明論に反しているだろう。それでいい。だから非文明食べ物論である。北海道のにしんを信州のそばの上にのせたにしんそばは京都の名物で、それはそれでいいが、やはり本来は、そのまま食べる方が自然である。

近ごろは時どき、バーなどでも生野菜をそのまま切ってテーブルの上におく店がある。ニンジンをバリバリかみながらウイスキーを飲む。

そのおつまみの方がうれしくなって、つい酒代が高くなるということは、ないか。

味は母系社会である

八世紀のころできた『万葉集』という和歌集のなかに、ひとりの若者が無実の罪に問われて紀州へ護送されるときの歌がある。彼いわく「いま家にいたら妻が食器によそってくれる飯を、旅路だからシイの葉っぱに盛って食べる」と。

この歌のとおり、むかし家族の茶碗に飯を盛るのは主婦の役目だった。この若者、時に十九歳の若きプリンスだから、妻は初々しい若妻であろう。

しかも古来日本人は茶碗に飯を盛ることを「よそう」と言う。「よそう」とは女性が「装《よそお》い」というのと同じで、美しく飾ることだ。

あだやおろそかに、飯を盛ってはいけない。

むかしの女性は、この役目をむしろ誇りとし、夫に飯を盛る座につくことが、あこがれの男性の妻となることだった。

同じ『万葉集』には、「村一番の器量よしはだれの妻になるだろう」という内容を「だれの食器を持つだろう」と歌うものもある。

それでこそ、主婦の象徴がシャモジになった。私の若いころは「主婦連」がシャモジをもってデモ行進した（だからこの行進は教養が高いのである！）。

さてそうなると、主婦は一家の食事の中心になるから、いきおい彼女の嗜好によって一家の味がきまってくる。いわゆる「おふくろの味」だ。

そこで女性は嫁入りしてくると姑《しゅうとめ》から料理をならい、その味を踏襲して次へ受け渡していくことになる。

ところが事実はそううまくはいかない。姑の味がそのまま嫁の味にはならないらしい。嫁には実家の味があるから、主婦になったとたんに、実家の味が登場するのが実情らしい。

あるとき、作家の太田治子さんと歓談していたら「男というものは『おふくろの味』をもっていても、結婚すると妻の味に従ってしまうのがふつうですね」と断言された。そう振る舞ってこそ、あっぱれ主婦はつとまるのだろう。

要するに家庭の味においても、日本は母系社会なのである。久しく家父長制を名乗り、男性を主人と呼んでおきながら、じつは確固たる母系社会を連綿としてつづけ、お惣菜《そうざい》屋が「おふくろの味」を看板にすると繁昌するのが日本だ。姑は嫁に一家の味を教えたと思って満足しているかもしれないが、これも父系社会という建前の思い込みにすぎないらしい。

しかしこの、女性を勇気づける母系社会構造が、いまや崩れようとしている。食事の用意が屈辱的だというわけではあるまいが、いわゆるファミリーレストランにいってみると、日曜日は家族連れでおおいににぎわっている。いやウイークデーの昼どき、さらには夕食どきでさえ、ファミリーレストランは家族連れでいっぱいだ。

ところが、もちろんウイークデーには父親の姿がない。夕食どきでも父親はせっと残業をしているのだろう。母親と子どもだけが多い。

情けないことに、日曜日でも父親の姿がない家族が、結構ある。おじいちゃん、おばあちゃんはいるのに。父親はゴルフなのだろうか。

こうなると、もう「おふくろの味」すら伝えられなくなる。むしろ男女ともに働く時代だから、やむをえない面もあるだろうか。

しかし、何とも残念な気がする。「おふくろの味」にかわって「あのファミリーレストランの味がなつかしい」という世代がやがて登場するのか。「パンですかライスですか」とウエートレスに聞かれてライスが運ばれてくるようになると、もう母も子も「よそう」ことを知らなくなるだろう。母系社会のかわりにレストラン系社会に日本の食事が変貌するとは。

これらとともに主婦権は凋落する。レストラン業者はふとる。しかもこうした傾向は日本でとくに顕著なのではないか。

ドイツでもイギリスでも食事は毎回ほとんど同じで、百年を超えて同じ料理が伝えられる。毎回ソーセージとハムぜめに遭うと、現代日本人はドイツを逃げ出したくなる。

女性だけに食事の義務をおわせるのはいまどきの実情に合わないが、いままで味が母系によって伝えられ、そこに一家ができてきたいきさつを、夫婦ともどももう一度考えてほしい。

積極的に食べよう

ホテルのレストランではとくに朝食などバイキングとよばれる形がはやっている。海外でもビュッフェスタイルがどんどん広がっている。

それをちらちら見ていると、欧米人がどっさりとってぱくぱく食べるかたわらで、日本人はほんの一つまみていどしかとらない。いや日本人もたくさんとるが、同時にたくさん残すのも日本人である。――嫌味をいうのではない。

もちろん体格もちがう。しかし昨今日本人はもっと食べるのに積極的になってよいのではないか。食べることを粗末にしていないか。

菜食主義とか、粗食に甘んじるとか、一汁一菜が美徳だとされた歴史は、たしかに日本にある。身体を苛酷な状況のなかにおくことで、精神をきたえようとする精神は、日本のみごとな伝統だとは思うが、実際はそれほど教科書どおりだったわけではない。

織田信長の茶会のメニューには雁や鶴の肉がのせられている。兎を一羽二羽と数えるのは、鶏と同じように食べるためだったという説もある。

そしてまた、日本人は好んで旬のものを食べようとした。めぐってくる季節ごとにその折その折のものを食べることに熱心だった。筍の季節、松茸の季節と。いまほど流通も、一方の保存もよくなかったせいもあるが、いまは季節をとわず、たいていのものは食べることができる。

そうなると旬のものを食べる感覚もなくなるから、季節が食物をとおして食膳におとずれるというリズムもなくなり、ただ空腹をいやすためだけに食事をすることになる。さきほど述べた、新鮮さを尊ぶ味覚は、この点でもなくなってきた。

御節《おせち》料理も、どれほどの家庭でつくるだろう。デパートにはあふれるばかりに売っているが、これはクリスマスのデコレーションケーキと同じで、町にくりひろげられるショーだ。

私が子どものころは、歳末になると母が一家を指揮して御節料理を何日もかけてつくった。河岸への材料の買い出しは父や男の子、台所に立つのは姉や妹だった。買ってくるだけの御節料理では、お正月の喜びも半分だろう。

なにも大量に食べよというのではない。しかしいまや日本人はあまりにものっぺら棒な食材を、しかもそそくさと食べる。イタリア人のように陽気に長い時間かけるのもひとつの食べ方だろう。

菜食主義にしろ信長式にしろ、自分に合った食べ方に心を向けよう。せめて、季節のリズムを食事のうえに生かすことだけでも、積極的に心がけたいものである。

こよみ 「体のカレンダー」をもとう

体のカレンダーが消えた

いよいよ二〇〇〇年を迎えた。たしかに一〇〇〇年の大台を越えることは、たいへんな出来事にちがいない。いままでも私は『源氏物語』がほぼ一〇〇〇年という区切りのいいときに書かれたこと、それから一〇〇〇年たつのだということを、ふしぎに感動的にみてきた。いま、この大台をもう一つクリアするのである。

昨今、世の中が二十一世紀、二十一世紀といささか興奮気味であることも、よくわかる。

しかし一方、こう騒ぎ立てられると、あらためてカレンダーのなかの数字を考えてしまう。一年十二カ月（むかしは十カ月）、数の多い月と少ない月、一年は三六五日。

一月一日から始まって十二月三十一日におわる——。

なにか、こう眺めてみると、ただ無表情に一日、二日、三日と日が並び一月、二月、三月とつづき、十二月が来ると「はい次の年」と変わっていく様子は、無愛想ですこしも表情がない。人間はいったいどう付き合ったらいいのか、まったく教えてくれない。

かろうじて一月、二月は寒い、七月、八月は暑いと知っているから、一や二、七や八という数字が「顔」をもつだけの話である。

ところがわれわれは、もう一つ、立春とか夏至とか、秋分とか冬至とかという区切りも知っている。いや、知っているといえないかもしれないが、節分の豆まきとか、冬至の南瓜とかがその時どきで店頭に顔を出すことは、ちらちらと見ている。お雛祭りとか端午の節句とかも、まだまだ姿を消したわけではあるまい。

そしてこちらの方は、ことばを見ただけで季節がうかんでくる。具体的に立春とか夏至とかといわれるのだから、いやでも季節がわかって、寒いとか暑いとか、すぐ感じることができる。

だから一月、二月というのは月日の数え方で、立春だの夏至だのは季節のあらわし方だと、別物のように思いこんでいる人もいるほどだ。

しかし実体は同じものだ。月日を数字で数えるか、太陽の通り道（黄道）による自然の変化にしたがって名づけるかだけの違いである。

だからそれぞれにメリットがある。月と日という二つの単位を使って数えていくと、新年から何日たったかがすぐわかる。一年十二カ月だから六月ともなると、ああ半分たったとだれもが知る。八月は四月から四カ月あとだから、ああ年度初めから三分の一年たったなと簡単に計算できる。

どうやらわれわれがいつも付き合っているこのカレンダーは、もっぱら月日の計算上有効なものとして尊重されているらしい。

しかし日常生活は、計算ばかりではない。むしろ自然な寝起きのなかで、計算が必要な場合は、少ないだろう。

そこで、もう一方の自然の循環にそって名づけられたカレンダーの方が、ほんとうはおおいに有効なはずだ。こちらのデメリットはほとんど計算を放棄していることだから、生産管理や企業体制には向かない。制定した法令を「夏至から施行する」などということはない。「冬至をもってコストを定める」などということもないだろう。

しかし人間は社会人である前に一個の人間である。大きな自然の力のなかに生きる体をもつ。

とすれば無機質に並べられたカレンダーによって一年を生きるよりも、より本質的には「季節ごよみ」のように趣味的にさえ扱われているカレンダーを、もっともっと大切にしなければいけないのではないか。

じつは江戸時代までは、これが生きていた。

宇宙の循環によるカレンダーの方が体になじむ。数で区切るカレンダーは、もっぱら頭脳用である。

節分だの立春だのというものは、いわゆる旧暦と密接に結びついているが、いまや旧暦を主にしたカレンダーなど、ほとんどない。新年に向けて、店頭にあふれるように売られている手帳や日記帳は、すべて新暦によるものだろう。そのなかに節分や立春は、ごく限られたものだけに記入されているのではないか。

要するにわれわれの周辺には、頭のカレンダーばかりがあって、体のカレンダーはほとんどないのである。

聖人の原点は「日知り」

聖人を意味する日本語は「ひじり」である。「ひじり」とは日知りのこと、その日が何であるかを知っている人が貴いと思われた。

聖人というとヨーロッパふうに育てられた現代日本人は、すぐキリスト教の聖人、せいぜい宗教上のえらい人をイメージするが、じつは「ひじり」は古いことばで、ほんらいは、宇宙の循環原理にあてはめて、日々を的確に知っていた人のことであった。

台風が来る日を知っているのでもよい。苗はいつ植えるかという日の指定でもよい。

高度な観測機械などなかった古代には、すべての人が多かれ少なかれ、自然の推移を知っていたであろう。

『源氏物語』のなかに「今日は立冬の日であることを証明するように時雨が降る」という一節がある。むかし読んで心にとまったものだから、それ以後十年ほど、立冬になると必ず空もようを気にしてきた。すると十年のうち、七年は時雨空だった。

とくに最初の三、四年は必ずしぐれて、私を狂喜させた。

なにげない古典の一節でも、たしかな自然観察にもとづいて書かれている。いや、もっと正確にいうと、作者をふくめた、それこそ一〇〇〇年前の人たちは、空がしぐれ始めると、ああそろそろ立冬だなと思ったのである。辞書をひくと時雨は「晩秋から初冬にかけて降る雨」とある。

目で空を見上げ、時どき体に雨を受け、どんよりとした季節の重量感を感じると、冬が来たと思うのである。

また、いまでも生きていることばに「八十八夜」がある。そのころに摘んだお茶がおいしいという理解だと思うが、お茶だけではない。なにかと苗を植えるにも適したころである。

これは立春から八十八夜たった日のことだ。

——だが、こういうとやはり数えているではないかといわれるだろうか。もちろん数えるのだが、立春からの季節の変化を数えているのであって、単純な日々の数の羅列とは別物である。

そもそもカレンダーは日本語では「こよみ」という。「日読《こよ》み」という意味で、「よみ」とは「数える」ということだから、右のように重要な起点を発見して、それから何日目が何であると指摘するためのものがカレンダーだった。

また「木の芽時」ということばがあって俳句の季語にもなっているが、「木の芽月」といえば旧暦の二月のこと、平成十三年では新暦の二月二十三日から三月二十四日になり、木の芽がふくらむころである。

ところがこのころには神経を病む人が多いといわれる。これも人間の体のリズムと自然の循環とが密接に結びついていることを意味している。「木の芽時」という指定は体と自然との両方をさし示すカレンダーのうえでのことであった。

あげていけばきりがないが、先日テレビを見ていたら、明け六つの鐘は、掌の筋が見える明るさになってから突くのだという。これは時間だが、みごとに体によって時や日が刻まれていく、よい例だろう。

野分《のわ》きといえば台風のことだ。だから野分きのころは九月の初めになる。しかし九月初めといわずに野の草を分けなびかせて風が吹く光景で、日を指定するのが古代人であった。

太陽や月を大切にしたい

私は以上のような「体のカレンダー」を少しは大切にしようではないかと提案したいのだが、この「体のカレンダー」の原点は太陽や月にある。だから現代人は、不自然な「頭のカレンダー」からもう少し解放されて、太陽や月の姿を見ながら生活したい、という希望ともなる。

いうまでもなく日照時間がいちばん長いのは夏至。これを夏のピークと考え、いちばん短い冬至を冬のピークと考えた。この日差しの屈伸運動の中間点が春分と秋分である。

判で押したように出勤・退勤時間がきまっているサラリーマンには、もう伸縮はできないかもしれないが、大げさにいうと、夏は九時間勤務、冬は七時間勤務の方が体にとって自然である。早い話、サマータイムという時間ずらしは、いまでも国によっては実施しているではないか。

そもそもカレンダーの原点は、多く夏至と冬至にある。たとえば伊勢神宮近くの夫婦岩の中間から太陽の昇るのが夏至であることを、太古の人は発見した。太陽が間から昇る日を起点として日を数えていけばカレンダーができる。

青森県の三内丸山遺跡には、屋根がない、柱だけの建物がある。これを太陽の通る柱列だと、考古学者の小林達雄さんは考える。

アイルランドの王は、夏至の日にだけ太陽が眠りの床に届くように設計された墓に葬られ、エジプトの王は冬至の光によって眠りからさめるように葬られた。

春分や秋分を大切な節目にすることもある。奈良県の二上山は、それぞれの中日に太陽が二つの頂の間に落ちる。その関係がカレンダーのうえで尊重され、やがて宗教的な意味までつけ加えられた。

太陽はエネルギーの源である。太陽を大切にすることに説明はいらない。にもかかわらず、夏至も冬至も、春分も秋分も数の羅列のなかに埋没してしまっていてよいものか。

ためしに、夏至の日、同僚に聞いてみるとよい。「おい、今日は何の日だか知っているか」と。夏至だと答える人は、変わり者かもしれない。

ところが中国では立春がいまでも大切にされている。節分から立春、春節《チュンジェ》の騒ぎはたいへんなものだ。ほとんど一カ月、仕事はものにならない。節分の爆竹で毎年けが人が出る。

中国人はあっぱれ体で生きている。頭なんかに、小ざかしく動かされないで悠然と生きている。あのたくましい中国外交こそ「体」の生活行動の、象徴のように思える。

一方、月はもっと体的である。月の引力によって潮の満ち引きが起こることはもちろんだが、人間も引き潮のときに死ぬという。女性の生理も月と深くかかわっている。

アメリカのプリンストン大学のリーバ教授に『月の魔力』というおもしろい本があって、私は一時期熱中していたことがあった。彼は、満月の夜に自動車事故が起こるという。新月と満月のころに出生率が高いという報告もある。

そもそも英語では狂的なことをルナティックという。ルナとは月のことだ。それをたとえ話にしたのが満月の夜の狼《おおかみ》男だろう。満月が人間を狂わせ、女をおそうという異常な行為にまで走らせるという事実を、人びとは経験的に知っていたのである。

日本でも月を見ることは不吉とされた。かぐや姫は満月の夜、この世を去らなければならなかった。

月は太陽以上に人間の体と深くかかわっているらしい。しかるに月によるカレンダー（太陰暦といわれる）はイスラム暦に使われるだけで、日本では旧暦（太陽暦と太陰暦をあわせたもの）も捨ててしまった。

もちろん復活する必要はない。しかし太陽や月のもつ働きに、われわれはもっと目を向けて、自然な循環のなかに体をあずけるべきであろう。木の芽時に気持ちを大事にし、立冬のころだと思って衣類に心をくばりたい。

ところがいまのカレンダーには三月三日だから耳の日、九月九日だから救急の日だ、とある。

少しはずかしくはないだろうか。

おそれ

自然へのおそれを忘れた現代人の遊び感覚

なぜなら、そこに山があるから

さいきん、もっともいたましかった事件の一つは、神奈川県下で起きたキャンプ場の増水事件（一九九九年八月）である。幾つかの家族が川の中洲で遊んでいるうちに、水量がましていっきょに流されてしまった。

何人もの人が遺体となって運び出されたが、最後まで行方がわからなかったのは、一歳の赤ちゃんだった。やっと遺体が見つかったのは、何日も後だった。

楽しいはずのキャンプが、一瞬にして惨事と変わる理由は何か。いろいろな理由が考えられるであろうが、遊ぶ方にも、また管理する方にも、さらにさらに念を入れた防備体制があれば、事故は未然に防げたかもしれない。

もっと天候に気をつけること、土地の条件をいっそう研究すること、万事に慎重になること。後になってみれば悔まれることを、事前に心配して、用心しすぎるほどに用心する必要があるだろう。

そうした後悔は登山でも同じだ。ふらっと散歩まがいの格好で山に出かけて大事件になるケースもよく聞く。昔ながらの、あの物ものしい登山者姿は、最低限必要な装備だと心得るべきだろう。

考えてみれば、現代人は現代文明という手厚い保護をうけているから、ちょっと何かが狂うと、まるで無力である。われわれ、自力だけで生きている人間はひとりもいない。法や国家、医療や科学技術を買って生きている。

むかし中国で人間のことを裸虫といったように、人間はまる裸の無能力動物である。要するに人間、知恵という武器しかもっていないから、それで武装するしかない。知恵でつくり出した法や制度で護るしかない。

ところがこの知恵は、神さまの知恵にくらべると浅知恵である。たけだけしい欲望をおさえることができない。

法や制度で規制する以上に、欲望をつのらせて遊び、法や制度はつねに後手後手にまわる。そしてこの隙をねらって、これまた欲望をつのらせた悪徳商人もはびこる。

じつは有名な登山家のことばに、わたしはかねて疑問をもってきた。なぜヒマラヤに登るのかと聞かれた彼は、「なぜならそこに山があるから」と答えた。名せりふとさえ、されている面もある。

しかし、はたしてそれでよいのか。

山があるから山に登りたい。あくなき人類の征服欲はかがやかしい人類の歴史の展開のごとく賞賛されるが、人間をはばむ山には、はばむだけの理由がある。山は征服されるためにあるのではない。

山は山である。欲望だけを述べた、赤子のようなことばではないか。

むかしの木伐りは山へ入って仕事をするにしても、よく山の神をあがめた。山の神がおそれるからといって、あのグロテスクなオコゼをぶらさげて歩いた。鏡を腰につけておくと、悪魔が化けて近づいてきても、正体がちゃんと映った。木を伐っても、次のいのちのために、木の末はちゃんと植えた。

そんな気持ちと正反対に、山があるから山に登る欲望をそそられるというのが美談なのか。人間の能力をそんなに試して何になるのか。

キャンプ場の川にしても登山にしても、もう少し自然へのおそれ、つつしみをもつべきではないのか。

ましてやレジャーブームといって冒険を楽しむことがファッションになるとは、とても大きな忘れものをしていないか。

人間は海で呼吸できない

海もまた同じである。じつは一九九九年の九月、初秋の伊東の海で、わたしは娘をなくした。水深三十メートルまでの潜水のライセンスをとる学校に参加していて、あっという間に生命を失ってしまった。

電話で知らせを受けて深夜にわたしが駆けつけたときは、もう警察の霊安室にいた。

潜水には水圧の調整が必要である。うまく耳への抵抗を排除しながら（耳ヌキという）沈んでゆくのだが、娘はそれがうまくいかなかったらしい。いったん浮上しようとしたが、急浮上を心配したパートナー（バディという）に引きとめられ、そのまま海底へ沈んでいった、という。この間、インストラクターは何も気づかずに先を泳いでいた。

かねてわれわれ両親が、潜水をやめなさいと言ってきたことは、いうまでもない。しかし二十五歳の若者は「学校でインストラクターがついているのだから、ぜったい大丈夫よ」と言いつづけた。

聞けばスキューバダイビングはいま大流行だという。

しかし、むかしから水にもぐってアワビをとる海女《あま》は、おまじないの星印などを手拭いやノミ（アワビをとる小刀）にかいて、魔除けとした。海がそれほどこわいものだとよく知っていて、敬虔な祈りを海の神にささげたのである。

海女はウエットスーツを着てはいけないのだという。着ると海中に長くいられるから、アワビをとりすぎてしまうからだときいた。

逆にいうと、ウエットスーツはそれほどに絶大な保護力をもっている。そのうえにボンベを背負い、レギュレーターをくわえると、人間はほとんど陸上と変わりなくなる。

何とおそろしいことだろう。人間、海中では呼吸できないということを忘れさせるのだ。

息ができないとは、生きていられないということなのに。

たしかに海中は美しいらしい。魅せられた者はもう足が抜けなくなるかもしれない。しかし、海中見物まで人間が経験できると思うのは、ごうまんというものだ。神をおそれ、魔除けのお守りをもち、堪えられるだけの一分ていどを水中にもぐるのなら、許されるであろうが。

戦前は水泳を万事「水練」と称した。さまざまな泳法も、遠泳も素もぐりも、すべて「訓練」として行われた。水面に顔を一分間つけて呼吸しないことも、何度も何度もやらされた。

昨今はやりのダイビングスクールで「訓練」をやるのだろうか。とにかく生きられない海中にもぐるのだ。きびしい訓練精神が必要だろう。

とかく海藻も魚も美しい海中で、そんなものに目をやる生徒をしっかり叱り、いかに気圧を調整するかを徹底的に教え、潜水病にならない速度を十分身にしみ込ませているのだろうか。

耳ヌキがうまくできない原因は三つあって、耳の病気をもっているとき、酒をのんでいるとき、体力が衰えているときだという。そうしたチェックが厳重に行われたうえで、どれほどの速度でもぐると、うまく耳ヌキができるのか、インストラクターは十分目くばりをする必要がある。

娘は七月末に初級のライセンスをとったばかりである。初心者が三十メートル近くまで、しかもほんの四、五分でもぐってよいのだろうか。初心者が、そんな深海にまでいとも簡単にもぐれると思えるはずはない。万事インストラクターを信頼して、まかせていたのだろう。

さっきもいったように潜水はふたりで一組になってやる。そのときの相手であるバディは生死をともにするぐらいに強く結ばれることを、求められるという。

しかし彼とても初心者である。

耳ヌキがうまくできないと鼓膜が破れて海水がいっきょに体の中に入りこむ。耳の激痛と戦いながら浮上しようとする娘を、精いっぱいの自分の知識のなかで、安全に助けようとたったひとりで格闘した彼。海底に沈んでゆく娘を追いかけようにも自分の技術では不可能だった彼。

九月中旬は、水温も透明度ももっとも潜水に適しているという。初秋の晴天の下で、初心者どうし、たったふたりが懸命に死と戦う惨劇が、十分ほど海中でくり展げられていたことになる。

人間は海では呼吸できないのである。

現代社会は「殺人構造体」だ

ふりかえって考えてみると、講習のスクーリング中に、なぜこのような「事故」が起こるのか。学校でいえば、授業中、先生の知らないうちに子どもがひとり死んでいた、ということだ。

しかも突然ショック死したというのならともかく、クラスメートが一所懸命助けようと格闘していたのに。

当のダイビングスクールは機材を販売し、あわせて折にふれてスクールを開催する仕組みらしいが、さて、このスクーリングやライセンス制、インストラクターの認定などが、どのように法や制度のなかできめられているのか、素人のわたしの知るかぎりでは存在しない。

しかし本来生きられない海中につれていって、しかもその技術をオーソライズしようというのだから、とうぜん監督官庁からの規制や条件があるべきだろう。あるべきながら、考えられない事故がなぜ起こるのか。

どうやらすべては無規制らしい。無法に近い、この構造自体は、レジャーブームという社会現象に法が追いつかないこと、また欲望をめぐる人間と社会との対立構造にふかく根ざしているであろう。

ほこりまみれになって疲れはてている現代人が、新世界を発見したといってもよいほどに美しくて夢幻的な水中にあこがれることも、よくわかる。以前「お魚になったわたし」というコマーシャルがはやった。その心理である。

そうなると、たちまち金儲けの欲望がからみついてくるだろう。レジャー産業ということばさえ耳なれるようになった。欲望に欲望がからんだ仕組みだから、もう勢いは、とどまるところを知らない。

おまけに、レジャーという遊び感覚は現代ふうで格好いい。さっきいった水練などということばをきいただけで、若者は「やってられねえよ」と言うだろう。

登山だってそうだ。がんばり精神の強壮剤のコマーシャルをテレビで見るが、あれは、どれだけ効果があるのだろう。重装備の登山姿はもう中年向きなのかもしれないと思う。

それよりも気楽に里山を歩いて楽しむトレッキングの方が、よっぽど気軽でスマートなのではないか。

さてそうなると、法規制をやろうとしても現実になかなか追いつかないばあいもでてくるだろう。

「ゼッタイ、ダメ」という麻薬防止のポスターは、見るたびに涙ぐましい対策姿勢をかいま見させる。さいきんのエイズへの対策も頭の下がる思いがする。

しかしそれでも、無知で無謀な現代人が後をたたない。

少年法もその一つだろう。この美しい理念を、司法はなお守りつづけようとしながら、一方では少年法を隠れみのにした少年犯罪がぞくぞくと起こりつづけている。さいきんも大人の男性がいわゆる「おやじ狩り」で十八歳の少年から失明させられた事件が起こった。

現代社会は生命の危機と隣り合わせでいる。いわば、社会全体が地雷をかかえた原野のようなものだ。いつ何が爆発して、生命が奪われるか、わからない。

しかし、こんな「殺人構造体」の社会をつくり出したものは、自然に対するにしろ人間に対するにしろ、その尊厳さを認めようとしない、現代人の欲望である。

やりたいことは何でもどこまでもやるという、レジャーブームに象徴されるような、野放図な自己容認。それにつけ込んで一儲けしようとする、これまた恐れを知らないコマーシャリズム。

とくに自然に対するおそれを知らないチャレンジは、麻薬やエイズと同じようにこわい。

山河を尊び、天地に祈りをささげた本来の日本人を、日本人だけでもとりもどすべきではないか。いちばん大事なはずの一人ひとりが無自覚に「人間崩壊」を起こしていることに、気づかなければならない。

すまい

住居に聖空間を回復しよう

床の間がなくなった

十年ほど前、国立の研究所を作る委員会に参加した。ある日のテーマは建物の設計についてだった。席上、私はこう依頼した。

「研究の場ですから、のっぺらぼうの建物にしないで下さい。日本語で『すみ』（隅）とか『くま』（隈）とかいう、そういう場所をもった曲りくねった建物で、思索の溜り場のような部分がある設計をお願いします」

設計者である内井昭蔵さんは、いかにもロシア正教の信者らしい奥行きのある笑顔を浮かべながら「わかりました」とうなずいてくれた。

じじつ、出来上がった建物には一見無意味と思われるような片隅がいくつかあった。まったく目立たないが、しかし確実に思索者が好みそうなそこには、座れば座れるような腰掛が仕組まれていた。

しかし昨今、一般には機能第一主義で冷たく無機質な建物が多い。いや、ほとんどがそうであろう。この方が、万事能率主義の現代には合うのにちがいない。

この傾向は住居でもひとしい。われわれのすまいも、ずいぶん様変わりしたと思う。すまいは、人間生活の入れ物だから、生活様式によって変わるのはとうぜんだろう。しかしこの生活様式は問題がある。

改めて考えてみると、昨今のすまいから追い出されたものの第一は床の間である。実用性からいうとなくてもいい。どうせ飾りだと思われるからであろう。だいたい床の間があっても掛け軸がない、花を生けるのも面倒だ、ということになる。

忙しい現代ではそうかもしれない。しかし床の間がある意味は、とても大きかった。

そもそもトコという日本語は、頑丈でビクともしない、絶対に変わらないもののことだ。家にはとうぜんユカ板を張る。その上に畳を敷いたり、そのまま化粧板を張ったりする。しかしユカはいつ抜けたって責任を問われない。

ところが絶対に安全で抜けたりはしない一隅が「トコの間」なのである。そこは建物の晴れの場所として必要だった。だから昔、殿様はそこに座った。天子や将軍になると、さらに床の間は一段と高く、豪華に作られた。

それほどに床の間は特別に迎えた客人、一家のあるじが座るべき場所として聖空間であった。

今はそれが形式化して狭くなり、偉い人が座る場所が飾り物をおく所に変わってきた。しかしいかに変貌しても、トコの間だから別扱いで、トコ柱には銘木を使うとか、トコ板、トコ天井には特別な材料を使うではないか。

実用性を失っても、なおこんな扱いを受けるのは、全体のユカの一部にトコを置くことで、象徴的に建物全体を統率する秩序をあたえ、家屋に構造をほどこすことになるからである。

昨今の床の間は、もしあったとしても一畳ほどの空間で、いかに偉い人でもそこに座ることはありえないが、つねに空白であっても、家の主座を聖空間として意識し、そこを一家の精神の拠り所として日々の生活が行われることが、とても大事だった。

だから床の間に生ける花は、中心の人間の代わりであった。床の間に掛ける絵や書も、同じ働きをする。

床の間の花や書画が語りかけてくる良質のことばは、一家の中心人物が語りかけ、一家を統率していく者の発することばとひとしいものであった。その発言者はトコ(不変)なる者のことばだった。

だいたい日本語ではトコということばが、悪い物に使われた例がない。「とことわ」とか「とこしえ」とかと、いつも賛美されるものに用いられた。床の間も同じである。

寝床も抜け落ちない保証があるから、安心して寝られた。散髪屋を床屋というのも同じだ。髪を切るなど、昔は命を絶つのと同じだった。その場所は神聖でなければならない。床屋さんも頑張ってほしい。

だから、床の間を日本人の住宅から消すことは、生活の場のもっとも大切な空間を抹消することになる。家屋の構造の中心を捨てることになる。

それとも現代人にとって、家屋が秩序ある構造体であることはもうぜいたくなのだろうか。もう家屋は、ひとりひとりバラバラに住むのがいいというわけか。

いや、わが家の中心はテレビですよ、というわけだろうか。たしかにチャンネル権などということばを聞くと、テレビは絶対者として神とひとしいのかもしれないが。

火が消えた家庭

つぎに変貌をとげたものに、家庭の火がある。

これまた、そもそもは、といった話から始めると、いまわれわれは家を「一軒二軒」と数えるが、昔は「ひとへ、ふたへ」と数えた。この「へ」とは、かまどのことだ。多少年配の人は「へっつい」ということばをご存じだろう。その「へ」である。要するに釜をおいて下から火を燃やす、あの場所のことだ。今のガスレンジに当たる。

ガス台で家を数えるとなると、ガス台が一家に二台あっては困る。それほどに昔は必ず一家にかまどは一つだった。なぜか。昔は、家の中心に火を焚く場所を置いて、一つの建物が造られたからだ。竪穴式の住居などを見た人は思い当たるだろう。

それがやがていろりに変化する。別に晴れがましい床の間がある一方、日常生活のだんらんは、いろりを囲んで行われた。いろりのまわりに、主人の座る場所、妻が座る場所が、それぞれきちんと決められている。

農家のいろりはずいぶん長くつづいたが、商家などになると、いろりはなくなる。なくなったが、時代物のテレビや映画を見ていると、一家のあるじは必ず長火鉢の後ろに座っているではないか。つまり生活の中心は長く長く、どんなところでも火であった。

だからこそ「伝統の火を消さない」などということばも生まれた。そしてこの生活習慣はヨーロッパでも同じで、古い家屋が暖炉を中心にした居間をもつことを見る人も多いだろう。

ところが昨今の日本家屋は、いろりも長火鉢も、もちろん暖炉もない。火を燃やす場所は調理する一隅へと敗退をよぎなくされた。つまり火は煮焚きの材料だけとなり、生活の中心を象徴する機能を失った。今や、火は神聖なものだ、といっても大半はピンとこないだろう。僅かな人が「そういえばオリンピックの時、聖火っていうなあ」というばかりではないか。

火が神聖であるゆえんは、火が恐ろしいものである点にもあるが、火が燃料だけでなく闇を照らすものである点にもあった。私事になるが、学生時代、伊豆の天城山中であちこちのわさび田を作る人たちが、夜になるといっしょに寝る小屋に、一晩泊めてもらったことがあった。仲間三人、伊豆を無銭旅行していた時のことである。

わさび作りの人びとは、いろりにほだをくべて、宵のうち、ひとしきり歓談をする。火がみなの顔を照らし出す。そしてほだが燃えつきると、世界は漆黒の闇となる。思い思いに床の上にごろ寝をした。

火が灯りであることを、この時以上に実感したことはない。ところが灯りである火の役目は、電灯の出現によって、とって代わられた。以後、火は燃料としてのみ見なされ、ガスレンジにだけ存在することとなった。

こうなると火は一カ所と限らない。「二世帯用に台所を別にしました」という建売住宅の広告を見た時、何千年かつづいた、火を中心とするすまいがついに終わったと、私はひとり感慨をもらしたことだった。

こうなった火は、闇夜を照らす輝きの持ち主でも、生活の中心を象徴するものでもない。

便利かもしれない。

機能的なすまいにはなったが、日本人はここでもまた一つ住居の中の聖空間を失ったことになる。

神も仏もいなくなった

聖空間の喪失といえば、もっと直接的な聖空間は、とっくになくなっているのではないか。

仏間や神棚である。

昔の大きな家には必ずりっぱな仏間があった。座敷とならぶ尊重ぶりだった。その壁面にはめこまれた仏壇のおごそかできらきらしい輝き。時としては、ずらりと並べられた位牌の数かず。

いかにも祖先の霊が集まり、むしろにぎやかに見守ってくれるようにさえ思えた仏壇は今、それこそうさぎ小屋には据えるべくもないのだろう。ましてや一間を仏間として特別に作ることなど、現実離れした夢にすぎない。

一方、神棚も小さいながら必ず作られるのがふつうだった。お彼岸に家族そろって拝むのが仏壇なら、神棚の方は毎朝、ポンポンと拍手《かしわで》をうって、お参りをさせられた。

子どものころの通信簿は、親に見せると親はすぐ神棚に供えた。報告するのだと聞かされた。

そしてまた、何かをもらうと、まずは神棚に供えてから「お下がり」を頂戴するというのが習慣だった。

父親の給料袋もいったん神棚に供えられ、それから母親の手に渡ったように記憶する。「お下がり」ということばは、長男の私など私のお古を弟が使うていどにしか考えていなかったが、そうではない。「お下がり」とは神さまから頂くものだということを、子どものころの習慣が教えてくれた。

ところが仏壇も消え、神棚もないのが当今の日本人の住宅だろう。そうなると祖先の加護も神さまからの頂き物もなくなる。礼拝するべき聖空間をうしない、無意識にせよ礼拝の習慣を失うことは、神仏を失うことだ。

欧米人はよく部屋の一隅に親しかった人の写真を並べている。訪問者にこれは父、これは祖父そしてこれは大祖父と説明する。それを聞いていて、これがわれわれの仏壇や神棚なのかと思ったこともある。

日本人の習慣にはそれもない。どうやら従来の床の間、火のありか、そして神仏のおわす所と、三つながらに聖空間をうしなってしまったのが、現代日本人のすまいであるらしい。

逆に、こううしなってみると従来の日本人のすまいが、いかに聖空間を大切にしてきたかに、あらためて驚くではないか。

はたして、すまいに心の拠り所はいらないのだろうか。

もちろん私は、床の間やいろり、仏壇や神棚をただちに復活させよと、短絡的にいうのではない。いいたいことは、すまいとは精神性の高いものだということをもう一度思い起してほしい、ただ機能的によく出来ていると、いばってほしくない、ということだ。

家じゅうがのっぺりしていてはいけない。必ず大切にする「晴れ」の場所がほしい。その場所によって一家が整えられているような気になる、そんなコーナーはどこにでもできるではないか。

火が燃えているほどに暖かい、家じゅうの人が集まってしまうような生活の中心を作っておかなければならない。家庭の中心は暖かさだというのが、いろりや暖炉からの教訓であろう。

家族の誰彼が、亡くなった人も今の人もみんな写真で集合する場所は、どこにでも作れるだろう。写真のおじいちゃまに、百点の答案をまず見せる孫がいることは、心の豊かさである。近ごろの家庭崩壊だって、すまいにこもる濃い精神の陰翳を忘れてしまったために起こるのである。

きもの

和服が醸し出す心のゆとり

かぎりなくシンプルな着物

外国映画をみていると、時折日本の着物を着ているシーンに出合う。そんな時に彼らが着ている着物は、だいたい部屋着、いわばローブがわりに上から羽織っていたりする。

中にはネグリジェとして身にまとっている場合もある。

なるほど、欧米人から見ると着物のメリットはこんなところにあるのかと、あらためて思い知らされるが、さて日本女性がローブまがいの着物にりっぱな帯をしめ、背中にお太鼓を背負うと、とたんに晴れ着になるという構造は、彼らにとってまことに融通無礙《むげ》、場合によってはふしぎでさえあるだろう。

ヨーロッパ社会ではどうだろう。ネグリジェやローブをかりにいくら上等なものに仕立てても、それでパーティーに出るわけにはいかない。フロックコートやタキシードがネグリジェと仲間にはならない。

男性の場合でも、日本では上等とはいえ同じ構造の着物に袴をつけ、羽織をはおるとみごとな正装になるのだから、女性の場合と本質的には相違がない。

要するに、日本人の古来の服装は、ふだん着も晴れ着も構造的には変化がなく、欧米人からはネグリジェていどに見られるものが、基本の形だったということだ。

この基本の形というのは、結局のところ、ごく大ざっぱに布を体に巻きつけて、紐一つでひょいとしばれば、もうそれで出来上がりといったものである。

上野公園の西郷隆盛の銅像を思い出してみるのが、いちばん手っ取り早いだろう。あれがつい一五〇年ほど前までのごくふつうの服装だった。

何という無造作。何というシンプルさ。そして何という無防備――。

それでは、どうして日本人の着物は、こうもシンプルなのだろう。まずは、これで済んだのだから日本はとてもいい国なのだ。あれで寒気にも耐えられ、暑ければいとも簡単に脱げるし、危害もほどほどに加えられずに、済んだのだから。

しかも、今日の着物は、本来下着だったという表現がある。たとえば平安時代の女性のように何枚も重ね着をしていたのとくらべると、たしかに一枚になってしまったのだから、そう言っても間違いではないだろう。だからこの表現でいえば、日本女性は下着でパーティーに出ていることになる。

一枚になった着物は、さらに簡便化して浴衣になった。よんで字のごとく、浴衣は湯浴みをする時に身にまとったもので、「ゆかた」とは「湯帷子《かたびら》」がつまったことばだ。

夏ともなると湯浴み用の着物一枚になって、日本人は花火を見たり夕涼みをしたりする。まことにみごとな、服装の簡略化ぶりである。

おまけに「夕涼み　よくぞ男に　生まれける」などということになると、もう裸が服装にまでなってしまった。女性だってそうしたいだろうのに、出来ないという口ぶりである。

かぎりなく裸に近づいていったのが、日本の着物だといってよいだろうか。

もちろん、それこそが、高温多湿な日本の風土に対する自然ななりゆきだった。

だから、ひるがえって明治以来、いっせいに洋服に衣がえしてしまった日本人は、とても無理をしていることになる。私をふくめ、スーツを着、ネクタイをしめたサラリーマンは、職業上、ドブネズミ色などとけなされる色合いまで甘受して、暑いさ中も仕事をしている。近ごろはよほど服装がラフになったとはいわれるが、信用をとりえとする職場では、そうそうぞんざいな服装もしていられない。

ましてや、西郷さんの格好の銀行員がいれば度肝を抜かれるだろう。

だからサラリーマンにもう一度和服に帰れとはいえない。現代社会、世界のどこへいっても洋服スタイルだから、それを前提として「日本の洋服」(!)を考えるしかない。

スーツやドレスに代わる、しかもそう軽々しくない服装はどんなものか。寒さ暑さにそれぞれ対応する仕組みは、どんな工夫で出来るか。

風土が生んだ着物のシンプリズムを現代の服装の中に活かす工夫を、デザイナーさんにしてほしい。

足し算引き算の着物

先ほども和服はふだん着と晴れ着との間に本質的な違いがないといったが、これは、基本のものの上に何かを加えたり何かを除いたりすることで、日常と晴れとの間の程よさを決めるという考えを示している。

武士も裃《かみしも》をつけると登城姿になった。

羽織にしろ着物そのものにしろ、紋を加えると正装になる。さらに幾つ紋を入れるかで正装の度合いがちがう。

帯でも何帯をしめるかで上等の度合いがきまる。極端にいうと織田信長の少年時代のような縄帯から始まって、女性の豪華な丸帯にいたるまで、ランクはさまざまある。

重ねて着ることが上等になる場合もある。今でいうと花嫁さんは打掛けを着る。昔は上に重ねて着るものだったが、それが晴れ着として使われるのである。

反対に引き算の場合もある。いまは礼装の留袖《とめそで》だって、華やかな娘時代の振袖《ふりそで》を結婚後の女性が留めたから留袖といった。逆にいえば袖を長くすることが華やぎを加えることであった。

この、加えることで晴れがましくなっていく構造の最たるものが、いわゆる十二単《ひとえ》である。平安時代に宮廷につかえていた女性たちが、本来の着物（単）の上に重ね着を十二枚したもので、宮中風俗の代表のようにいわれる（もっともほんとうは十二枚も着ないで、襟元だけ重ね着をしているように見せた場合もあった）。

こうして伝統的な着物は、基本の着物は変えずに、足し算や引き算をすることで場合場合に応じようとする思想をもっていた。

この思想は昨今の洋服にはない。男性のスーツでいうと一昔前は三つ揃というのがあって、一段とフォーマルな装いであったが、今はそれもあまり見かけなくなった。上着の下に共ぎれのベストを着るのである。

だから重ねるというと、せいぜいダブルであろうが、これは前を重ねるだけで、別の衣類を重ねるのではないから、十二単の仲間ではない。

やはり洋装では、先ほどもあげた礼装という別物を着なければ、晴れの場合にふさわしくない。モーニングも燕尾服も、それぞれ構造がちがう別物である。

この点が、和服と洋服とを分ける大きな特徴だろう。足し算引き算で装いをあらためることと、別物を着ることとの相違が。

何しろ着物は背丈に対しても鷹揚である。

子どもの着物は袖の長さがあまると肩上げをして長さをしぼることができる。裾が長すぎると腰上げをしておけばよい。成長すれば、そのくけ糸をとればきちんと背丈に合うこととなる。

まことに融通がきくのも、基本をかえずに対応する和服本来の哲学（？）であろう。

和服は収納も便利である。脱ぐと着物はへなへなとしおれて、量を失ってしまう。だからたたんで重ねて、いくらでも箪笥にしまうことができる。身のほどを弁えた賢さは、いくらでも足し算や引き算を許容する賢さの一つである。

ところが洋服はこの点でもちがう。体型に合わせて作ってあるから、男物、女物を問わず、着ない時はいちいち吊るしておかなければならない。場所が要ること、おびただしい。

着物の賢さに対していえば、まことに頑固なもので、我を張りとおして収まりがつかない。上着、ズボン、スカート、コートと長さも違うから、収納場所もいろいろ種類が必要である。

それでは洋服にも、和服の足し算引き算を適用することができないものか。もう大胆に「日本の洋服」を考えよう。別物思想をやめて、基本をスーツ形にして、それに何かを加えることで、少しずつフォーマルさを認定していこう。ゆるやかな裁断。華やかなデザイン。見るからに晴れがましさや緊張感がただよう色調。そんなものが社会的に認知されてくれれば、みごとに和服の長所がいかされたことになる。

昔の、妻となることで袖を留めるという、心と服装との映発は、いま生きているだろうか。

袖のみならず、江戸の女たちは結婚すると歯を黒く染め（お歯黒といった）、成人となると眉毛を抜いた（眉払いといった）。

そのいちいちがいいというのではない。このような心の表れのひとつとして、服装にも変化があったことは大事ではないか。

非労働着のすすめ

どうやら着物は、よく言うことを聞いてくれる優良児のようだが、これも着物の基本の要素が体を包むことにあることを物語る。

反対に洋服は体型に合わせるから融通もきかず扱いにくく、いちいち場合によって取りかえなければならなくなる。成長に従ってどんどん役に立たなくなる。

しかしこの洋服の目的は労働に適し、皮膚や体毛の代用として寒暖から体を守る点にある。

逆に、和服は労働着ではない。寒暖にも対応しない。欠点だらけのようにも思えるが、解放感はこの上なく、強い。

この解放性は風土に根ざすものにちがいないのだが、風土のみならず、日本民族のもつ解放型の精神にも由来するだろう。

あきらかに南方型と思われる和服は、とうぜん南日本型のもので、やがて全日本の服装の基本になったと思われる。

だから解放型の服装は、ぴったりと体に合った服装に守られてひたすら働きつづけるという精神傾向より、心にゆとりがあり、精神的な解放感を愛する民族の傾向を示すものだといってよいだろう。

こんな服装でよく働けるとおどろくほどなのだし、着物姿で走り回っている時代劇を、私などはひどく滑稽にすら思ってしまう。

もし、日本人が好戦的な民族なら、着物はとっくにすたれていたであろう。着物は心のゆとりや平和の象徴だともいえる。

だから日本人は、単純きわまりない着物に向かっていろいろと工夫を凝らして、おしゃれをした。

江戸時代には半襟《はんえり》がはやった。内着である襦袢《じゅばん》の襟にそれをつけて、飾りにした。そもそもは汚れやすい所だから取はずしのきく上襟をつけたのだが、これがおしゃれとなり襟屋が繁昌した。

また、有名な「裏は花色木綿」ということばがあるように、裏地に、はなだ色(青色)をつけた。裏が見えた時にちらっとおしゃれの見えることが、ほんとうのおしゃれというわけである。

半襟にしろ裏の色にしろ、わずかなところに凝る美学は、やはり心の豊かさを反映したものだ。そのことが、労働着でない着物のあり方とよく合っていると私は思う。

もう現代のわれわれは、きっちりと労働着に身を包むことを余儀なくされている。女性にしたって、就職活動期にいわゆるリクルートスーツを着た女性を電車で見かけると、何か人生が寂しくなる。

しかし日本人は、たったこの間まで非労働着で働いていたのである。裏地のおしゃれに凝っていたのである。

だのにスーツという労働着の中にいて、われわれは心のゆとりを示すおしゃれを忘れている場合が多い。

ましてやユニホームという服装は、画一的な労働強制着で、まったく頂けない。ユニホームは心まで労働のかたまりにしてしまい、個性すら奪ってしまう。

それでいて男性のスーツこそサラリーマンのユニホームである。スーツ革命をおこさなければ、日本の着物が泣くというものだ。

たたみ

暮らしの中に自然をとり入れたい

自然な素材が安らぎをあたえる

神坂次郎さんの『元禄御畳奉行の日記』が一時ベストセラーになった。十七世紀、元禄時代に畳が日本人の住まいの中に浸透しはじめる。その仕事にたずさわる役人の日々が今日のサラリーマンの様子とよく似ているものだから、大いに読まれたのである。

いや、ベストセラーのことはともかくとして、それ以後、日本人は畳と切っても切れない関係をもってきた。「畳の上で死にたい」といえば、一生をいかに流浪しても、最後はきちんと故国へ帰って、わが家で死にたいという願いを表現する。安らかなわが家が、すなわち畳である。

ところが最近、畳は住居からどんどん姿を消している。建売りマンションの見取り図を見ても畳の部屋はほんの一部にすぎない。まったくない家も多い。私自身でも、以前設計して住んだ家のうち二軒は畳なしだった。今いる家でも、畳の部屋は一つしかない。

今や畳よりも近代的なフローリングが好まれ、畳の上に布団を敷くより板の間にベッドが快適という時代だといえる。

しかし、長い間日本人が畳を愛してきた理由があるのだから、それなりに畳の大切さを忘れてはいけないだろう。

第一に、畳に座ったときのあの柔らかな感触は、板の間にはない。のっぺらぼうの床板とちがって、畳には柔らかな凹凸がある。

そもそも日本人——農耕民にとっての畳は遊牧民にとってのじゅうたんと同じ役目をもつ。

羊を飼い、その乳を飲み、その肉を食べる遊牧民が、羊毛によって作ったじゅうたんの上に憩うのだから、稲作をして草食をし、主として米から造った酒を飲んできた日本人が、イグサで編んだ畳に座ることではじめて安心できることは、当然である。

フローリングなど、むしろ不自然なのだ。

もちろん大昔の日本人は地べたで暮らしていたが、やがて床板のある生活をするようになり、必要な時に畳を敷いた。ふだんはたたんでいるから畳である。したがってその当時の畳は、ござ程度だと考えていい。

そんな畳を分厚く、しかもいつも敷くようになったのは、不自然な板の間生活から、本来の草上生活をせっかく家屋の中にとり入れたお蔭だったのに、またまた不自然に逆もどりしたのが、昨今のマンション事情である。

畳には凹凸があるといったが、そのせいで畳の上に物を置くとぐらつく。板を置いた上でなければ物は置けない。

しかしこの不便さこそが物本来のあり方だろう。畳の凹凸にはボケ防止の効用があるという。たしかに畳を踏んで生活していることに、青竹踏みと同じ効果があるかもしれない。

いつも不安定な物に対抗して足に力を入れて生活するのには、生理的なボケ防止効果もあるだろうが、何よりも凹凸があったり、いびつだったり曲がっていたりすることの方が、むしろ物にとっては当たり前の姿である。

もちろん、今しきりに必要が叫ばれているバリアフリーなど、いらないと言うのではない。それぞれの状況でそれぞれに、それこそ自然な条件があるだろう。それを排して畳がよいなどと、畳業界のお先棒をかつぐつもりはない。

また畳はとかくダニが発生したり、ほこりを吸ったりして、不衛生だといわれる。昔なつかしい畳の大掃除も必要になる。そうした面も改善されるべきであろう。不衛生がよいわけはない。明治時代の文豪・森鴎外も、家は不衛生を解消すれば、石造家屋より木造家屋の方がいいといっている。

明治の文明開化に大きく貢献した鴎外がそういっているように、木造家屋のよさ、畳の効用をもう一度考えるべきであろう。

自然に開放された建物がいい

日本の家屋は畳だけではなく、いろいろな面で自然と一つづきであった。

その一つが濡れ縁。これまたマンションではつけられなくなってしまったから、もう死語になっただろうか。屋外に出た縁側で、雨がふれば濡れっぱなし。だから濡れ縁といった。

つまり、これは建物の中なのか外なのか、はっきりしない。

昔、女をくどきに来た男はここから内へ向かってあれこれと恋のことばを並べた。もてない男はなかなか入れてもらえない。ある男はくどき下手の老人、長いこと濡れ縁にいさせられ、おまけに寒い時だったものだから、ぴちぴちと下痢をしてしまったという笑い話がある。

そんな濡れ縁もあれば、浴衣を着た子どもがすわって線香花火をする濡れ縁もあった。

昨今、濡れ縁がなくなり、きっちりと家の内外が区別されると、生活空間は自然と完全にさよならをしてしまった。

日本の家屋は、よく木と紙の建物だといわれる。それに対しては焼夷弾がもってこいだというので、戦争中のアメリカは、日本の都市に、爆弾を落とさず焼夷弾をばらまいて、無数の民家を焼いた。

最近の都市のビル化は、それをすっかり忘れさせる程だが、しかしなお、日本人は建物の材料としての木や紙に、親近感をもっているであろう。

以前、私自身の経験としてこんなことがあった。設計者がもって来たわが家の仕様は、全面壁紙をはって柱を見せない。ところが一方、材料の欄には、柱がすべて正目の総檜となっている。

彼いわく。「やっぱり家は総檜でなくちゃ。いい材料をもっている業者を知っています」。

隠してしまうのなら柱は何だっていい、という考えも成り立つはずだが、やはり彼の感覚の中には、見える見えないといったケチなレベル以上に、家はりっぱな檜で組み立てられているべきだという信念があるのだと思えた。

わが家はそのとおりに落成した。

いや檜の柱どころか、自然な木をそのまま使うのがもっとよいのであろう。古来の建物に黒木造り、白木造りということばもある。

自然木の皮をそのまま付けた黒木。皮を剥いだままの白木。それが自然と一体化した家を造り上げた。

終戦直後アメリカ軍は、こうした重要文化財のような日本家屋にペンキを塗りたくった。

いまや黒木白木の家を造ろうではないかというと、趣味的すぎて実際的ではないとお叱りをうけるかもしれないが、あしらいとしてなら可能なはずだ。アクセサリーとしてだけでも、黒木や白木のある屋内空間は、どれほど住人の目をやわらげることだろう。

極端な例もある。

江戸の終わりごろのお坊さん・良寛は、ある日畳をつき破って床下から生えて来ている竹の芽に気づいた。驚いた良寛さん、さっそくその周りの床と畳を切りとって、竹を伸ばしてやったという。

これは柱どころの騒ぎではない。本物がそっくり生活空間の中にとり入れられたのだからみごとである。

こうなると濡れ縁が内か外かと議論するのと同じように、竹が生えた室内も内か外か、わからないではないか。

十四世紀のエッセイスト・吉田兼好は、家の建て方は夏を主にしなさいという。夏快適に建てたら冬は寒くて仕方ないだろうが、彼はそう言うのである。

これも結局、防寒ばかり考えて閉鎖的にするより、冬多少寒くても、寒さは寒いなりに受容して、夏向きな、自然に開け放たれた生活空間の方が、人間にとっては大事なのだという教えであろう。

現代は万事個別に分断的で、とかく閉鎖的になりがちだが、人間の暮らしは、大きく自然に向かって開かれたものであることが大切らしい。

自然の呼吸と共生する暮らし

イグサという植物の上に寝起きしてきた日本人。自然に開放された家屋に住んできた日本人。それはとうぜん、自然と生命をともにしてきたといえるだろう。暮らしの中で、日本人は自然の植物の呼吸を聞きとめ、その呼吸をわが呼吸として生きてきた。

畳には、アロマテラピーの効果があるといわれる。香りによる癒しの効果である。この効果はほぼ半年ほどつづくが、古くなっても、イグサは檜と同じで、香りを出しつづけるという。

近ごろはめっきり減ってしまったが、それでも町に畳屋を見かけることがある。ふだんはがらんとした土間も、畳を張る作業が始まると一面にイグサの表が広げられ、独特の形をした庖丁で、まわりがバサッ、バサッと切り落とされていく。

その時にさっと広がる、すがすがしい芳香。「森厳」ということばは神社の境内に似合いそうなことばだが、ふと、そんな単語が浮かんでくるような気がする。

わが家の庭には、ひとところハーブを植えてあるが、時折近づいては葉をしごいてみる。すると掌にただよう爽やかな香りがある。それとも似た芳香が、新しい畳にある。それを畳の呼吸のように思ってしまう。

呼吸といえば畳には一酸化炭素をとり除く効力があるという。これこそ畳が呼吸している証拠だ。しかも六畳間の畳は一時間で九十パーセントの一酸化炭素を除去してしまうという強力さである。

日本人は畳のほかにも、こうした植物の働きをよく知っていた。先に檜の柱のことをいったが、以前木曽へ行った時、檜を大豆大の大きさに丸くしたものをいっぱい詰めた枕を買ってきた。檜の芳香が寝ている間じゅう、頭を包む。動くたびに檜玉は揺れ、触れ合って新たな香りを放つ。

同じ時、風呂に入れる檜玉の袋も買った。湯舟に入れておくと湯をきれいにする。時どき洗ってやると、また活発に働く。

私の友人のアメリカの学者は、自宅に檜の湯舟を据えている。夫人が日本人だから、発想の根源は彼女から出たものだろう。しかし、彼自身も日本に長く滞在した経験をもつから、檜の湯舟の呼吸を、十分知っているはずである。

檜の湯舟など高くて作れない、という反論も聞こえてきそうだが、はたしてコストだけの問題だろうか。現代の日本人は金持ちになるとすぐ黄金の風呂を作って得意がるではないか。

檜の湯舟は高くつくが、せめて観葉植物を室内に置くていどのことは、だれでもできる。レンタルで鉢植えの植物を業者が置いてまわることも、近ごろふえた。オフィスも喫茶店もそれだけで、どれほど人びとをなごやかにすることか。

この観葉植物が呼吸をしていることは、いうまでもない。植物は音楽を聞かせるとよく育つ。緑色が目の疲れを癒すこともふくめて、観葉植物の愛好は、なお失われていない、自然との融合というべきだろう。

しからばいっそう、日本人は自然の素材や自然に開かれた生活様式を思い出す必要がある。

そもそも日本の生活用具は多く固定的ではない。畳がタタミだったように、布団も敷いては畳み、食卓も終わった後は畳んでしまった。座布団も座る時だけ持ち出してくる。あっぱれ、携帯思想の元祖は日本人である。この簡便さは、少しでも有効に万物の働きを応用しようとする思想から出ているだろう。

何も大げさでなくてよいのだから、時としてフロアの一部にござを敷いたり、少しでも自然を生活空間にとり入れるような工夫をしたり、アロマテラピー効果のあるような植物を暮らしの中にもち込んだりして、暮らしと自然をとけ合わせたいものである。

にわ

人間を主役とする日本庭園

石と対話してみてはどうか

いま、たくさんの人がマンションに住んでいる。そんな中で庭の話をしても仕方ないというかもしれないけれども、人間の生活は庭をとても大事にしてきた。

今でもホテルの中の料亭はビルの中とも思えないような庭を造っている。とくに日本料理の店は、庭があると急に料金が高くてもいいような気になってしまう。ビルの屋上に、いわゆる屋上庭園を造るのは、かれこれ七、八十年も前からのことではないか。

そうなるとマンションに住んでいても、ベランダにちょっと庭らしきものを造作してみたり、鉢植えの一つも置いてみたりする気持ちがよくわかる。

ましてや、最近はガーデニングがさかんだという。狭くてもいろいろ趣向をこらして花を植えたり木を育てたりするのは、人間と庭との、切っても切れない関係の証明なのだろう。

いったい日本人はどんな庭を造ってきたのか。

京都の有名なお寺に、龍安寺がある。いや龍安寺というより石庭といったほうが通りがいいかもしれない。庭は一面に白い小石でおおわれ、さながらに水面である。その中に石組みがある。それを中心として箒で掃き目がつけられた水面は岩によせる波そのものに見える。

この庭に面して広く大きい縁側がもうけられている。これは、まぎれもなく庭を見るために作られた観客席である。

いつも欧米人が座りこんで、じっと庭を見つめている。いつまでも動かない。石庭がこんなに欧米人を魅了するのは、もちろんこれがきわめてアジア的だからだ。

要するに庭の主役は石である。こんなに徹底的に石に大役をおわせた庭は、中国でも見たことがない。中国では太湖石といってぼこぼこ穴があいていて、うねうねとくねった石を雲に見立てて置くことはよくあるが、それとは扱いがぜんぜん違う。

その点、石庭は日本的といってよいだろう。

反対にヨーロッパの庭園は、よく花壇を作る。幾何学模様に区画を作り、とりどりに花を咲かせる。

その配置や組み合わせに工夫があって、人びとは歓声をあげながら花の美しさに見とれる。

つまりは花が主役といっていいだろう。はたして昔の日本人は、花が主役の庭を造ったろうかと考えてみたが、十一世紀の一つのエピソードを思い出すだけだ。

ある人が通りがかりにのぞいた邸の庭にたくさんの花が咲いている。思わず入りこむと主人が出てきていわく。

父が死にましたが、魂は蝶になるといいます。そこで父が蝶になって飛んできてほしいと思って、こんなに花を植えています。

まさかヨーロッパの花壇は、死者が帰ってきてほしいから作られたのではあるまい。

ヨーロッパの花壇は、そもそも修道院の中庭にハーブを栽培することから始まったのではないだろうか。そう考えると空間を区切って花を植える構造がよくわかる。

いわば薬草園としての花壇と、魂をよぶ花とは、大いにちがう。そしてハーブにとって代わった花を主役とするヨーロッパ庭園と、石を主役とする日本庭園とでは、違いがはなはだしい。

　華やかに美しさを広げる花。力をじっと内へ内へとためこんで固く動かない石。派手と地味、外向と内向、遠心的と求心的。あらゆる意味で逆の性格をもつものが日本人の庭であった。

　枯山水の庭園もある。池の形を作りながら、さっきの石庭のように水を小石で表すから、水が枯れたということもできる。

「かれる」という性格も、日本人は大好きだった。「かれた人だ」といって淡白な精神を美徳とすることがある。派手で目立ちたがり屋は下品なのである。

　庭も同じ。水も木も枯れはてて、ついに石だけになってしまった石庭。この抑圧された力は、とうぜんヨーロッパ人を驚かせるだろう。華やかさを愛でてきた人を一ぺんに沈黙の中にひっぱり込み、石との対話の中で考え込ませてしまうのだから。

　昨今の日本人は、どうやら石より花が好きらしいが、狭ければ狭いなりに石一つ、庭でもベランダでもいい、置いてみて、石のいのちと向き合うことも、必要なのではないか。

脇役としての庭園がよい

「心字池」という池がある。池を心の字のように作ったものだ。日本人は心が好きで、以前（一一三ページ）、相撲で手刀を切ることを話題にした。これも手で心の字をかくのだといわれている。

庭に心字池をほり、それに橋をかけたり池のまわりをぶらぶらと回ったりして、昔の日本人は庭をたのしんだ。

地形に高低があると、なおのこと良い。歩きながら高くなったり低くなったりする眺めがたのしめる。

どうしてこんなにまわりがくねくねした池を作るようになったのか。古代、曲水の宴といって、曲りくねった水路を流れてくる盃に合わせて貴族が詩や歌を作った中国の習慣が、日本にも入ってきた。そんな水路が広がり、池の形に意味づけをするようになって心字池が誕生したのだろうか。

とにかく、池のまわりをたのしむ庭園が日本の伝統的な庭園となった。これを回遊式の庭園とよぶ。回遊魚のような気分だ。十七世紀の俳人・松尾芭蕉に、

名月や池をめぐりて夜もすがら

という名句がある。彼も回遊魚になった一人である。

一方、ヨーロッパの庭園では心字池のかわりに、池の中央に大噴水がそびえ、あたりに水をまき散らす。近ごろは水の出方に工夫をこらしたり、時間の差をつけたりで、たいそう美しい。太陽のかげんで虹ができることもある。

庭園の王者は噴水である。これも昔の暮らしが泉を中心とした結果だろう。泉を中心として放射状に街が発達した。水が生活の中心でとかく日々の暮らしも街の集会も泉のほとりで行われたから、とうぜんのことだといえる。

しかし、噴水の庭と回遊の庭とをくらべると、思想がずいぶん違う。庭の中心で、みずからの存在を大きく示す噴水。人びとはここへきて歩みをとめ、その美しさを見上げては賛美する。元来はちょろちょろとした泉だったものが、かくも見事に造作されたのだから、構造の科学力に驚かざるをえない。

一方、日本の回遊庭園にくると、歩くこと自体が主だから、人間が主人で池は従である。ところが水が人間を統率する噴水は水が主人で人間は従である。

集まってきて歩みをとめ、水を見上げる庭園と、ふらりとやってきて、池のまわりの小道にさそわれて歩きはじめる庭園。人間を歩きの中にさそい込んでしまう、そんな池のいたずらを仕掛けるのが、日本の庭であった。日本庭園の水は人間をさそい込んでしまえば、もう主役の座をおりる。

あの芭蕉の名句も、池と人間の日本的な構造をまことによく表現したものだ。池は詩人に詩心の広がる場を提供しているにすぎない。曲折の道をゆっくりと歩くことで、空中の名月はさまざまに形をあらため、語りかけてくることばをかえる。まん丸な池では姿が単純になる。植込みも変化があることで、梢と月の関係がかわるだろう。時には水面に月を浮かべることで、二つの月を提供することもある。

噴水はさっきの花と同じで、みずからが主役を演じることで人びとを引きつけ、よろこばせる。

しかし回遊の池はさっきの石と同じで、人がやってくるかどうかは、人にまかせている。故意に人をひきつけたりしない。しかし人が来れば、自分と対話させたり、歩きまわる世界にさそい込んで、思わず考えさせ、楽しませる脇役にさっと身を引く。能でいえば人間がシテで池はワキである。

この庭の役割は何も由緒ある庭園や大公園についてだけではない。われわれの身のまわりの小さな空間でも、住居のあるじをさそい込み、自分はワキをつとめるような空間を作るのが日本人の理想なのだ。

ベランダ庭園だって、目立たない植物を置いて、住人を主役に立てる空間が作ればよいのである。

ビル街を借景にしよう

韓国で文化大臣をつとめたことのある李御寧《イーオリョン》さんに、有名な『「縮み」志向の日本人』という著書がある。とかくミニチュアを作りたがるのが日本人だというのである。

たしかにそういう面もある。庭にしても池の一部に州浜《すはま》（波が寄せる浅瀬）を作って海岸の感じを出したりする。

しかし一方、日本の庭には借景とよばれる方法があった。遠く見える風景を借りてしまうのである。植込みの向こうに山の頂きが見えると、それをとり込んで庭の風景を作り上げるといった格好である。

この遠景のとり込みは、おそらく床の間にかける掛け軸の画と関係があるだろう。あの細長い画面をどう処理すればよいか。下の方に人物や建物を描き、上の方にさっと刷毛ででも山の形を描いておけば、もう霞むほど遠くの山が存在することとなる。この日本画の遠景のとり入れと借景は同じ手法のものにちがいない。

それにしても庭園の借景の思想はすばらしい。遠景までぜんぶわが庭園となってしまうのだから。この広大な気宇は、李御寧さんに言って「縮み志向」からはずしてもらわなければならない。

私は以前おどろいたことがあった。神戸市に須磨離宮公園という広大な庭園がある。瀬戸内海へ向かってくだる傾斜地が一面の庭であって、建物が頂きにある。

建物の前面の庭はあきらかにフランスのベルサイユ宮殿の庭をまねたもので、中央にカナル（運河）が造られている。

ところが建物から見ると、カナルは流れ下って瀬戸内の海にそそぎ込む。つまり瀬戸内海を借景としてとり入れることで、カナルは壮大な水流と化し、とうとう瀧をなして大海に流れ込むこととなった。

平野に造られたベルサイユ庭園のカナルはただ遠くへ流れるだけである。私もそこで運河の果てを実見することはなかった。

この離宮庭園はヨーロッパの庭園をまねながら、借景という伝統によって、見事に超越的な庭園を造り上げたのである。

借景という無限定な心。どこまでも伸びていく遠心力。それが日本の庭の根底にあることは、大事なことだ。

そしてこれも、庭園にきた人間の心を遠く遊ばせる仕組みであり、庭園自体はけして主役を演じてはいない。「どうぞ」と主役を人間に提供するばかりである。

石庭は一見石が主役のような座を占めるが、さてそれは、向き合ってくれる人を対話に引きこみ、人間を思索者とする。わが身のまわりに人をさそって、自由に思索させようとする池と同じように。

昨今の都会生活では、無味乾燥なビル群ばかりが遠景だと、人はいうかもしれない。

しかし夜景はきれいだという人は、すでに借景の中にいる。借景で営業しているスカイラウンジもある。

昼間のビル群も、きたないきたないといっていては、いつまでたってもきれいにはならない。

むしろ窓の外にひろがるビルは現代を考える必要条件かもしれない。現代の美だってあるかもしれない。

それこそ日本の庭は主役を人間にあたえる装置なのだから。

まとめ　四つの提案

以上、さまざまな「忘れもの」を書いてきたが、簡潔な提案をするなら、まとめとして、つぎの四点をあげたい。

一、帰属意識を持とう

今まで、学校でも社会でも、個性が大事、個性が大事といわれてきた。けれども、その教育が成功して、みんな個性的にバラバラになってしまったら、どうなるのか。他の人とちがうことが美徳なら、好き勝手にやっていたり、他の人といっさい交際しないで、もっぱらオタク族でいる方がいいのだろうか。

それでは車の運転一つできない。会社はメチャメチャになる。家庭も崩壊。

中国の漢字はよく出来ていて、羊がたくさんいる状態を「群」という字であらわす。一方、犬がたくさんいる状態を「独」という字であらわす。

というと首をかしげる人もいるだろう。だって「独」は孤独などといって、集団どころかひとりぼっちな状態だと、たくさんの人は思い込んでいるのだから。

たしかにそうだが、こういう事情がある。

羊は集められると、一匹一匹おとなしく集団をつくる。ところが犬はワンワンキャンキャン、てんでんばらばらに鳴いていてまとまらない。犬はいくら集められても統一的な集団は作らないのである。だから犬の集団の「独」は、すなわち孤独の意味にもなる。

人間だって、個性個性というかけ声ばかりで、全体に帰属する気持ちがないと、まさに「独」の集まりになる。

いやしくも集まって何かをしようとする以上、みんなで協力し合わなければ何もできないだろう。

明治以来、日本の教育は個人の自覚ばかりをうながしてきた。徳川時代までは、たしかに権力の仕組みの中で何も自己主張できなかったから、明治以後しばらくの間はこの教育も有効だったが、すでに百年以上経過した。今や日本人はりっぱに自己主張できる。

そのおかげで、もう一方の集団の自覚がすっかり忘れられてしまった。この行きすぎを訂正して、これからは全体の中の自分であることを、十分に考えなければならない。

欧米の企業は、逆に今や日本の企業がなぜ成功するのか、その経営方法をまなぼうとしている。このことも、労働者の一人ひとりが全体意識をもち、その中で個性を十分に発揮するという仕組みが、欧米がわから見直されている証拠である。

今までは日本人なのに日本という国を妙に馬鹿にする風潮があった。日本をほめると右翼だと思われたり、世界を知らない、教養がない人のように扱われ「欧米では」などとやられると、すぐ小さくなってしまうこともあった。

しかし祖国に誇りをもつことで自分の足場がしっかりとし、自信をもって海外のことがまなべるようになる。最近の調査でも「あなたは命をかけて国を守るか」という問に対して日本人は二十二パーセントの人しか「守る」と答えなかった。アメリカ人は七十七パーセント、フランス人は六十七パーセントの人が「守る」と答えたのに。

自らが帰属する集団は、何も祖国だけではない、家族、学校、会社などいろいろある。それぞれに自分がその一人だということを自覚し、誇りをもって集団を愛しつつ、十分に自己の力を発揮していくことが、これから必要であろう。

二、本当の大人になろう

大人に向かって大人になろうとは変だが、昨今の大人は、十分大人といえない人が多い。

たとえば電車に乗る列に割り込む人、座席に大股を広げて座る人、荷物を膝に乗せない人、間をあけて座る人。のろのろと降りる人は最近「降り遅れ」ということばまでうんだ。

どうだろう。電車の乗り方など、小学校の低学年で教えられるのではなかったろうか。つまり大人とは、図体おとなで、マナー子どもなのだ。

どうしてこんな大人に、ほとんどの人がなってしまったのか。理由は単純である。子どもに必要な訓練はまったく施されない。今やすべての親は物わかりがよく、子どもを甘やかし、耳ざわりの悪いことは何もいわない。個室にテレビまであたえられた部屋で、子どもはのうのうと日々をすごす。

学校でも先生は子どもを十分にしつけられない。体罰をあたえると、あとで大ごとになりかねない。

これではろくな子どもにならない。そしてまた、子どものまんま年をとると大人になる。

大人になるための特別な教育や訓練はない。

徳川時代までは、地域の先輩が、新しく大人になる青年たちに社会の一員としての教育をほどこした。同じ例は世界各地にある。それがなくなると、もう子どもと大人のけじめがなくなった。

かくして世の中に、子ども大人があふれるに至った。昔は子どもと大人で髪型をかえるとか、服装をかえるとかで、自他ともに大人として区別したのに。

それではどうしたらいいのか。私が残念に思うのは、せっかく一月十五日に設定した成人の日が二〇〇〇年から揺らぎ出したことだ。連休にするために月曜日に移した。政府が成人の日の意義などそっちのけで、休日としてしか意識していない証拠である。

まさにこのていどの意識しかない昨今だから、子どものままの大人ができるのである。

成人の日は休日なんかではいけない。学校に集めて成人とは何かを教えるべきだろう。家庭でも親はきちんと教えて祝福すべきだろう。

さし当って大人とは、りっぱな社会人として責任をみずから引き受ける人であり、世界の平和、人類の文化に対して貢献する自覚をもつ人であろう。

「おとな」という日本語は「おとなしい」ということばと内容が同じである。冷静な判断力、沈着な行動力をもつ人が「おとな」である。

これは英語でいうジェントルマンに相当する。こちらも穏やかな人のことだ。穏やかに物事を判断し、正義をつらぬく本当の大人が、これからの時代に要求されるだろう。

論議の場でコップの水を浴せるような幼稚さでは困る。

三、深くいのちを愛そう

一九九九年、ついに日本の自殺者は三万人の大台にのってしまった。じつに残念なことだ。

今は経営が行きづまるとか、追いつめられて苦境に立つとかで自殺をするようだが、昔の人の自殺は、もっと別であった。

このまま生きていると生き恥をさらす。それよりは、死んでりっぱに生涯を完結させようというのが自害だった。

日本人がサクラの花を愛するのも、それと似ている。ふつうの花は盛りをすぎると醜くしぼんで、やがて落ちる。それに対してサクラは、盛りとほとんど同時に散る。衰えを人に見せない。

千三百年ほど前の短歌に、「桜花　時は過ぎねど　見る人の　恋の盛りと　今し散るらむ」（万葉集）というものがある。サクラの花は「今こそ満開だと人びとがわたしを見ている。だから散ろう」というのだ。満開以外の姿を人に見せたくないのである。

これは濃密ないのちへの賛美ではないか。サクラの落花は、美しいいのちを保つための自殺といってもいい。

しかしそういっても、死とは人間にとっての重大事である。死ののちに暗黒の世界や地獄が待ちうけているのであれば、そうそう自殺もできない。

じつは古代の日本人は、死後にそのような世界を考えなかった。死ぬと神さまになると考えたのである。

祖先は代々、神さまになりつづけて遠い世界にいる。そしてこの世には魂として生きのこりつづける。

人間、年をとると老人になる。彼らは神さまの一歩手前である。だから老人は、よく神さまの意志を人間に伝えることができた。そしてつぎに神さまとなる。

一方魂は、人の死によって体を離れ、他の人の肉体にやどる。もう少しくわしく言うと、動物が「しぬ」ことは植物が「しな」えることとひとしい。やがて植物は枯れる。それと同じように動物も魂が体から「か（離）れる」のである。この魂の離別が、ほんとうの死だった。

しかし魂は、永遠に体をつたって生きつづけるのだから、生命は永遠となる。じじつ、私たちは親しい人びとを、死後にも忘れることがない。私の父母をはじめとする肉親の姿は、死後も私の視野を去っていないし、その力は私を揺り動かす。

それでは、なぜ私たちは死者を忘れないのだろう。一方で不快な人はたちまち忘れてしまうことを考えると、死者を深く愛していることこそが、死者を記憶しつづけ、覚えているばかりか、その力を感じるのだと知られる。

こちらの愛をかき立てる力を、魂とよぶのだろうか。

たしかに愛は力である。心の力である。

愛のもっとも根源的なものは恋愛だと思われるが、むかし日本人は恋愛のことを「色恋《いろこい》」といった。男も女も、恋愛をすると肉体が華やぎ、つややかに歓びにみちて美しい彩りを発する。それが「色恋」である。

私は、そのことに思い至った時、じつに感動的であった。豊かな彩りを発する点に恋愛の特徴を認めたとは。この日本人の人間主義の、何というすばらしさ。

恋愛において、いのちももっとも輝くのであろう。

徳川時代、男女がいっしょに死ぬことを「心中」といった。それまでは平凡に「相対死《あいたいじに》」と言っていたのに、「心中」ということばは、心の中をおたがいに尽くして死ぬという意味だから、このことばに秘められた、いのちの燃焼もまた、すばらしい。

男女の愛情は、もっとも心が燃えるものだが、恋愛のみならず、母性愛でも家族愛でも、愛はもっとも美しい、いのちの燃焼であり、美しく燃えるいのちを深く愛することこそ、人間の基本の条件であろう。

戦争にあけくれた二十世紀に引きかえて、二十一世紀は深くいのちを愛する世紀でなければならない。

四、自然を尊重しよう

近ごろ、とみに人気がある飲物といえば、いろいろな植物のジュースではないか。たとえば白樺の樹液をそのまま瓶づめにして売っている。ほの甘くてまろやかな舌ざわりがやさしい。ロシアでは以前から売っていたが、最近は北海道でも造るようになった。昔から山中に迷い込んだ猟師は、白樺の幹にきずをつけて、出てくる樹液を飲んだという。そしてこれは、熊がやることを学んだものらしい。

このほかザクロジュースも栄養剤としてさかんに宣伝している。竹が出す液はガンにきくという。

人間がこうして自然の植物からいのちの糧《かて》をもらうことは、じつは太古からのことだ。今は飾りになってしまったかんざしもそうだというと、人は驚くだろうか。かんざしは、そもそも植物の枝を髪に挿して、樹液を体にしみ込ませるためのものであった。

ところが昔の人のこんな習俗を、今までは迷信だといって馬鹿にしてきた。しかし迷信でないことに、最近やっと気づいた現代人は樹木から受ける癒しの効果などに熱心である。

いい香りはアロマテラピー、海水の利用はタラソテラピーなどとよばれて商品ができたり、保養施設が設けられたりという具合だ。

お茶にしてもハーブティがとくに女性たちから好まれている。

しかしこれらは、自然と人間との関係のほんの一部にすぎない。

じつは千年以上も前の短歌に、植物のハギが動物のシカの妻だという一首がある。「わが岡に　さを鹿来鳴く　初萩の　花妻問ひに　来鳴くさを鹿」（万葉集）。多くの人は文学的表現だと思っているが、植物にはそれぞれ匂いがあって、それにつられて小動物たちが来る。またその小動物をねらって大動物が来るという関係は、動植物の生態上とうぜんのことだ。

ハギもシカをよせつける匂いを出すにちがいない。その関係をハギとシカの結婚とよんだのが先の一首である。

その関係はさらに拡大して、天上の動物と地上の植物との間にも認めるべきかもしれない。空にガンが飛んでくると地上の植物が紅葉すると古代人は言う。まるでガンが赤い染料をまきちらすように。たしかに天も地も、季節の移り行きという大きな仕組みの中に組み込まれているのだから、別々に生きるわけにはいかない。ましてや天気は温度や湿度を左右し、その結果人間の体だって変調をきたすのだ。私は、そんなもろもろの自然万物の構造を宇宙生命体とよんでいる。だから、私たちの生命体の一部として、植物や動物を愛するのはもちろんのこと、山や海だって、別の生命活動をしていると思ってはいけない。早い話、月が潮を寄せたり引いたりして、満ち潮のときに人間が生まれ、引き潮のときに人間は死ぬという話もある。

地球と太陽との角度によって二十四の季節の節目を考えた二十四節気というものがある。立春や冬至などがそれだ。この節気は驚くほどに季節の変化を言い当てていて、季節の運行に厳粛ささえ覚えるほどだ。

人間は、こうした自然の生命の一部だということを忘れてはいけない。自然の偉大さを十分尊重し、自然の大きな生命と体を合わせて生きていくことこそ、自然破壊をくり返した二十世紀への大きな反省であろう。

二十一世紀の豊かさも、そこから生まれるはずである。

あとがき

九九年の初めごろではなかったかと思う。『WEDGE』の編集長・松本怜子さんがわざわざ関西まで来られて、『WEDGE』への連載をさそって下さった。それも三回だけのものだったのに、こうして出向いて依頼される丁寧さは、今どき珍らしいことだった。

私は感激して、書きましょうと答えた。

ところが、この連載が好評だから、さらに続けてほしいということになった。その時も松本さんは担当者をつれて、また挨拶に見えた。

連載は以来三年目を迎えてまだ進行中だが、この最初のものをまとめて書籍にすることとなった。「日本人の忘れもの」、九九年五月から二〇〇一年一月までの分が本書である。

退屈な車内で、『WEDGE』は絶好の読物らしい。ずいぶんたくさんの人が

「読んだ」といって感想をいってくれたり、未知の人からの投書もいただいた。思うように御返事しかねてきたから、ここで心からの御礼を申し上げておきたい。知人でも、早々と「本になったら下さい」と、うれしいことを言う人がいた。よろこんで差し上げます、と返事をしながら、すぐメモしておかなかったのでお名前を全部覚えていない。

お約束した方、どうぞ催促して下さい。

うれしいことに、連載が好評なのは、多くの人が「日本人の忘れもの」に気づいているからだろう。だから同じ趣旨のことを語れとラジオからのお誘いもあり、他の新聞からも記事を求められた。本書の冒頭と末尾においた文章は、二〇〇一年一月一日付の「全国信用金庫新聞」に書いたものである。

それにしても連載が続けられたのは、松本さんのお心くばりのみならず、配下のすぐれた担当者のおかげである。松本さん以下、田中政司、本田裕典の諸氏に心より御礼申し上げる。

また書籍への仕上げについては、安斉辰哉氏のおせわになった。氏は全体を内容によって分類、三つの章を立てて巧みに読物を作ってくれた。その爽やかな手腕には感服のほかない。感謝を捧げたい。

なお表紙の装画、扉などに亡き娘が描き残したカードの画を用いた。高校生のころ、父の日にくれたカードの表紙である。娘については、本文中にふれた個所がある。

二〇〇一年六月十七日

著者

文庫版あとがき

『日本人の忘れもの』を単行本として出版したのは、忘れもしない二〇〇一年七月であった。

忘れもしない、といったのは、その翌月をブラジルに過ごし、九月、帰国する途中、飛行機は目の前のロスアンジェルスの空港への一時着陸を拒否され、メキシコ最北端の空港へ緊急着陸し、以後三日間を当地のホテルで仮宿するという事件があったからである。

例の九・一一事件である。帰国してみると『日本人の忘れもの』はもう二刷が出ていたから、この書物は文字どおり九・一一事件と時を同じくする出版だったといえる。

メキシコのホテルでテレビはくりかえし、この事件を「ムスリムのアメリカ攻撃」という見出しで放送した。

少なくともアメリカで、このように宗教上の歪みが現代人に惨禍をあたえたと捉えられる事件を、メキシコで日本人の私は体験した。そのことは現代日本人が伝統を忘れ、アメリカナイズされた様式や価値観の中にいることを、思い出させずにはいない。

その思いは、帰国後にも大きく残った。もちろん『日本人の忘れもの』についての課題として。

この書物がかなりたくさんの人に読まれてきたこととも、それは関係があるだろう。お蔭さまでこの書物は、多くの出版社から文庫にしたいという申し出を受けた。このことも現代日本人が何を考えたらよいかを模索していることの現われだろう。

実は『日本人の忘れもの』は第二、第三冊目も出版されている。このような後続のニーズも、忘れものに気づく日本人が多いことの結果である。

のみならずこの書物は出版後六年たった今も、じつに多くの学校の入学試験問題に採用されつづけている。中には中学校の入試にも出題される。受験生は小学生。そんな年齢の読者まで得られることは、これほどうれしいことはない。

今回ウェッジ文庫が創刊され、その第一号として『日本人の忘れもの』が出版されることになった。文庫はより簡便だから、さらにたくさんの人が読んでくれるのではないかと、楽しみにしている。

そして日本人がこぞって日本という国がどういう国であり、これからどう考えていったらよいかについて議論しあうようになれば、こんなにすばらしいことはない。

文庫版については畏友葛西敬之氏の解説をいただくことができた。これまた二〇〇一年、つまり二十一世紀の出発にあたって、友人たちが作った「中西進と二十一世紀を生きる会」の会長をお願いしたのも氏であった。いつもながらの、御多用中の御厚意に心から御礼を申し上げたい。

熱心に文庫出版を推進された松本怜子社長、担当の岩城博部長にも厚礼を申し上げる次第である。

二〇〇七年晩夏

著　者

解説

葛西敬之

中西進氏と初めてお会いすることができたのは、月刊誌「WEDGE」(二〇〇〇年一月号)の愛読書を紹介するコーナーで、私が『万葉集』を挙げたのがきっかけだった。その記事が掲載されてからしばらくたったある日、突然、「中西進」というサイン入りの『万葉集(全訳注原文付)』(講談社刊)全五巻が「こちらの方がずっと使いやすいと思います」と言うお手紙を添えて、わが家に届けられたのである。

私はそれまで『万葉集』と言えば学生時代から手にしていた斎藤茂吉の『万葉秀歌(上・下)』(岩波新書)と、武田祐吉の『万葉集全注釈』(角川文庫)を専ら用いていた。しかし贈っていただいた著書を拝読して見ると、その内容がたいへん奥深く丁寧で、かつおもしろい。それ以降万葉集は中西進一辺倒となり新書判の『万葉の秀歌』、四季社の『傍注万葉秀歌選(全三巻)』、写真集と組み合わされた『万葉百選』

など次々と手にした。そしてロマンと空想に満ちた氏の解釈に魅せられることになった。

たまたまその本をいただいたのは、中西さんが、同じ「WEDGE」誌に、本書のもとになった「日本人の忘れもの」の連載コラム（一九九九年五月号〜二〇〇一年一月号／第一巻分）を執筆されていたときだった。当時から、その柔軟な発想、独自の切り口などに感銘していた私だったが、その筆者が『万葉集』を贈ってくれた、同じ中西さんだということに最初は気づいていなかった。しかし、その事実を知り、これは是非一度お会いしてお話をしてみたいし、何より本のお礼も言わねばならないということで、ご懇談の機会を得たのであった。

爾来、ずっとお付き合いをさせていただいているが、多様な著作に触れ、折々お話もしていくうちに、『古事記』『万葉集』といった日本の伝統的な文学はもちろん、西洋や中国の古典にまで造詣が深く、膨大な知識をもっておられる碩学に感じ入るばかりだった。一般的には、こうした知識の豊富な人々は学者であり、その学識を土台により専門的に深い穴を掘り進めることが多い。ところが、中西さんの場合は、そうした一般の学者タイプとは大いに異なる。あらゆるものに好奇心と感動をもって接し、柔軟かつしなやかに空想を廻らすことができる独自の感性をもっておられる。

和漢洋の深い教養という確固たる土台の上に立ちながら、既成の概念にこだわらず、自由な空想の世界に生きている。このことも新鮮な驚きであり、中西さんの大きな魅力であると思う。論語に「知る者は好む者に如かず、好む者は楽しむ者に如かず」と言うが中西さんはまさに「楽しむ者」の境地を実感させてくれる。

そんな中西さんのしなやかな感性の根源にあるものはいったい何なのだろうか。その根元は、本書の中にも出てくる〝はなやぐ〟といった感情を絶えずもちつづけていることにあるのではないかと思い至った。美しい花を見れば花に心奪われ、美しい人を見ればひたむきに憧憬を覚える、そのこころである。

数年前中西さんと私で、一緒に近江を巡ったことがあった。初日は私は一足遅れで夕食時に合流したのだが、夕食の席で氏は「今日は万葉時代の美女に出遭った。」といたく心を「華やがして」居られた。中西さんの「もののあはれ」に対するナイーブな感性は天性のもので、とても学び取ることができないという思いを深めた。

正妙寺というお寺にある千手千足観音を拝観したこともある。手足が千本ある仏像とのことで、私にしてみれば奇妙な形をしたさほど美しくもないカニのような観音様という印象だったが、中西さんは戦の絶えない時代、この地の豪族の夫人が念持したとされるこの千手観音に力強い仏の守護を見出し、それにすがりたいと思う当時の女人の思いを見て感激されていた。

ものごとすべてに好奇心を持ち、素直に感動するという心は、さまざまな知識を学び体験を積んで行くうちに純化し、ものに動じない分別に置き換わってゆくものだ。大変な碩学になられてもなおこのナイーブな感性を変わらずに持ちつづけておられるところに中西さんの比類の無さがあると思う。だからこそ、実に柔軟な空想や飛躍に満ちあふれたエッセイや評論を次々と発表されているのだ。その中西作品の魅力は、本書「日本人の忘れもの」のなかでもいかんなく発揮されている。

本書は、日本人がかつてもっていながら、次第に失ってしまった心の持ちようや身の処し方の機微を切り口にした、日本の精神文化論である。日本と言う温和な島の歴史のなかに育まれた日本民族の心、あるいは『古事記』『万葉集』『伊勢物語』『源氏物語』とつながってくる日本的なものの考え方が忘れられようとしている現状に対する警鐘でもある。

本来、日本は島国であり、島の民である日本人は自然や隣人、地域社会との調和を重んじ、外から来るものを歓迎しつつ、環境と共生する循環型の文化を培ってきた。文明開化、つまり明治以降、近代国家の成立過程でその劣化が始まり、大東亜戦争敗戦後ほとんど過去のものとなってしまった。このエッセイを読むと中西流の軽妙な発想、自在なイマジネーションの展開のなかでさまざまな「日本人の忘れもの」に気付かされ、共感を覚える。

実は、「日本人の忘れもの」は、もうひとつあると私は思う。中西さんも指摘しておられることだが、日本文化は日本古来のものと中国伝来のものとが融合、形成されたものである。中国から伝わってきたのは、大陸民族としての戦いの論理、家を守り国を治めるというサバイバルの原理であり、それはヨーロッパにおける騎士道の精神でもある。日本では武士道つまり、武士階級の教養として確立した。元来は輸入された大陸民族の文化であり血なまぐさく、殺伐な中国式のものであったのだが、長い歴史のなかで日本的なものとして昇華され、戦いの論理でありながら中国のように暴戻《ぼうれい》なものではなくなった。支配者の規律ではあるが権力の行使よりは自制の論理として日本の支配階級である「さむらい」の規律を形成したのである。これはヨーロッパの「騎士道」や「ジェントルマンシップ」として欧米先進国の共感を呼ぶ。明治以降は近代国家の論理としてこの「さむらい」の道徳は日本の国是の中核に据えられた。ところが、この戦う者の魂とでもいうべき男子の論理も、大東亜戦争に負けたことで根底から否定され、忘れられてしまった。

つまり、日本人の心にはいわば縦軸と横軸の二つの軸があり、両軸が相俟って日本的な心の座標を定めてきた。そう考えれば、武士道、あるいは武人として日本人がもっていた魂といった切り口から考察する「日本人の忘れもの」の続編を読んでみたいと思うのは、私だけではないだろう。その意味においても、中西さんの今後ますますのご健筆を期待したい。

（東海旅客鉄道会長）

本書は、二〇〇一年七月、小社より刊行した
『日本人の忘れもの』を文庫化したものです。

ウェッジ文庫

日本人の忘れもの①

二〇〇七年十月三十一日　第一刷発行
二〇一七年三月三〇日　第十一刷発行

著　者……中西　進
発行者……山本雅弘
発行所……株式会社ウェッジ
〒101-0052
東京都千代田区神田小川町一 - 三 - 一 - 三階
TEL：03-5280-0528　FAX：03-5217-2661
http://www.wedge.co.jp　振替 00160-2-410636
装　丁……上野かおる
装　画……中川　学
組　版……株式会社リリーフ・システムズ
印刷・製本所……図書印刷株式会社

※定価はカバーに表示してあります。
ISBN978-4-86310-007-7 C0195